주저하는
와중에도

주저하는 와중에도

발   행 | 2024년 07월 16일
저   자 | 다라가니, 솔빈, 김유나, 정인지, 재원, 신재호, 각설탕, 고고, 이민서,
          김성아, 정시진
펴낸이 | 한건희
펴낸곳 | 주식회사 부크크
출판사등록 | 2014.07.15.(제2014-16호)
주   소 | 서울특별시 금천구 가산디지털1로 119 SK트윈타워 A동 305호
전   화 | 1670-8316
이메일 | info@bookk.co.kr

ISBN | 979-11-410-9563-5

차례

첫 번째 : 나무

믿음

관찰

다라가니

특이한 아이라서,
원래는 기독교지만 불교 동아리에
다니고 있습니다.

믿음

가라앉은 밤
달을 머금기 위해
이상하리만치 조용히
일어났다.

달은 알았다.
그 사내는 이윽고
언덕에 올라가
달님에게 인사하리라.

오늘은 제 소원을 이뤄주세요!
이렇게나 일찍 찾아왔으니까요!
왜 제 말을 들어주지 않나요?
달은 말을 하지 않는다.

다시 돌아가 눕는다.
다시 만나기 위해
언젠가 이뤄질
기약 없는 바람을 위해
오직 달님이 알고 있는 그 날을 위해

관찰

눈은 무엇을 머금는가.

많은 세월 동안
이따금 변하는 나날을
묵묵히 받아내었다.

눈을 바라본다.

까만 것과 흰 것의 이름을
그 눈에 담긴 외부를
둘의 만남에서 드러나는 내 음성을
지긋이 보았다.

닫으면 보이지 않으니
눈을 알기란 여간 어렵다.
눈은 변할 수도 있다.
아니, 변한다.
아니, 또 그렇지 않을 수도 있다.
외부도 그러하다.

다시, 그 둘의 만남을 따라간다.
내가 보고 싶어 하는 대로

음성은 그대로 맞춘다.

남은 건 나의 아집이다.

두 번째 : 그네

솔빈

생돈까스 세트1과 냉모밀을 완식할 수 있다.
카페인에 민감하다.
하루 한 번 이상 자양강장제를 마신다.
최근 놀10 실버블라썸 링을 구매했다.

밀어-당김

하나처럼 딱 붙어 있던 우리가
사실은 서로를 밀어내고 있었음을
궤도가 비틀리고서야 알아차려 버린
서로를 향해 밀어내는 힘, 정반대로 향하는 힘인데
어떻게 이 우주에서 만나게 되었는지
눈 깜빡한 새 저 멀리 사라진 그 별을 보며
반대편으로 흘러가는

강철이

오래된 라이카를 들고 다니던
둥근 뿔테 안경의 바가지머리는
언젠가 비 오는 날 커다란 뱀을 본 적 있었다고 한다

주암댐을 뒤덮을 만한 크기에
똬리를 틀고 깊게 잠든 그 뱀의 모습이
그 윤기가 그 비늘이
탐스럽기에 그지없어 손을 대어보았다고 한다
눈을 뜬 그 녀석의 혀를 바라보며
꼼짝없이 잡아먹히겠구나 하고 눈물 흘리던 그 녀석을
가만히 바라보던 그 뱀은 훌쩍 떠나버렸다
그 꼬리라도 보일까 싶어 녀석은 라이카를 들고
셔터를 눌렀다

비는 더욱 거세져 물난리가 나 마을은 잠기고야 말았다

테두리가 바래기 시작한, 오래된 사진이다
온통 나무밖에 보이지 않는 그 사진에서
그 녀석은 그 커다란 뱀이 보이지 않느냐고 다그친다
어두운 땅굴 어딘가로 들어가 울고 있을 그 뱀 녀석이
한 번씩 크게 비를 내릴 때마다
막걸리를 뒷산에 흩뿌리고 온다고 그 녀석은 말한다

16

호랑이씨가 자살했다

목매단 호랑이씨는
이 년 전 아내와 한국에 들어왔다
마사지사였던 호랑이씨는
앞니와 발톱을 뽑은 채 일을 했다

비 오는 날 차를 타고 가는 길에
한 아파트 외벽에 매달려 있던
주황색 형체를 보았다
호랑이다
찾아본 뉴스에서 호랑이씨는
최근 유행하던 블랙 팬서 사냥에 휘말려
아내를 제외한 일가족을 잃은 채 한국에 들어왔다

비가 오는 날이었다
호랑이씨가 목매단 지 한 달이 흘렀지만
누구도 매달린 호랑이씨를 거두려 하지 않는다
단지
어찌하면 값을 제대로 챙길 수 있을까 생각하는
팬서 사냥꾼들의 고민만이 가득할 뿐이다

미결수

익어가는 포도알은 당을 채우고
걸음마를 배운 아이들은 자란다 대나무같이
물었다
더는 하늘과 가까워지지 않던 나에게
무슨 일을 하였느냐고
말했다
나는 인생의 책임을 유예하고 있는 미결수라고

아스콘 바닥에서 지렁이를 찾는 두더지처럼
옛 바다의 한복판에서 물을 찾는 케르데리의 노인처럼

바닥에 달라붙은 채 높은 하늘로 떨어질까 두려워하는
앞뒤가 맞지 않던 말만을 내뱉던 너를 기억하면서
자판을 두드리고 있다
자못 분내가 나던 모습만을 기억하며
포도알을 영글어 낸 네 모습은 외면해 왔었는지도 모르겠다

네가 이르쿠츠크에 있다는 소식을 들었다
뻑뻑해진 문손잡이를 잡아당기는 것을
더는 유예할 수 없을 것 같다

통증 요리법

카레는 무슨 색이야
노란색
커큐민이 몸에 좋대
난 쓴맛은 싫은데
당근과 양파 그리고 감자가 있어
푹 녹아내린 녀석들은 달 거야
고소하겠지

큰 스테인리스 냄비가 달아오른다
뒷짐, 기다림
온전히 퍼지는 시간, 십오 분
방 어디에 있든 맡을 수 있어
언니의 걱정을

언제 올 거야?

적셔진 밥알은 뭉개지기 좋다
가루가 뭉친 부분이 있다
처음, 어색한 모습
잠옷을 입은 나는 오른손으로 밥을 먹고
외투를 벗지 않은 언니는 왼손으로
내 볼을 쓰다듬었다

다 먹을 때쯤?

냄비는 아직 뜨겁다 식으려면 한참
열기는 나에겐 거칠다
쓰다듬기에는 온기 정도가 적당

놓고 간 그림이 거울이었다면
그곳에서 맡을 수 있는 것은 커큐민 향기
어지러운 식탁이 정리된
촉촉한 유리면 안쪽의 나에게 보내는 편지

아프지 말아
아픔은 그을음을 남기며
보는 것만으로 붉게 상기되는 수은 발린 유리

난 오늘도 견디기 힘든
기억을 물에 담가 죽이는 상상 중

타래

1.
도서관의 밀집 서고에는 지식의 기물이 산다고 한다
나는 이 이야기를 퍽 좋아한다
기억과 기록을 먹고 사는 녀석이 기억하는 죽음의 순간이
내가 지나온 곳에서 얼마나 많은 이들이 사라져가고 있는지

고독

하루에 사라져가는 수십의 생명이
우리에게 닿지 않는 것은
그 죽음이 너무 멀게 느껴지는 것이 한 이유이고
내가 죽음의 대상이 아니라는 안도감이
흐려놓은 시야의 탓이 또 한 이유다

좋아하던 사리곰탕을 끓였던 백모(37·남·일용직 노동자) 씨는
자신이 입에 대지 못한 라면을 아쉬워했을까

2.
잊히는 것이 진정한 죽음이라는
어느 박사의 유언이 있었다
그는 수많은 이들에게 기억되고 있다

기현동의 어느 빌라 202호에서 목을 맨 소모(29·여·무직) 씨는

지금껏 누구에게도 죽음을 확인받지 못했다
발버둥에 세면대에서 떨어진 유서는 검게 젖은 지 오래다

3.
복도는 길다
열린 창 틈새로 새어 들어온 눈에 바닥이 젖어 있다
다섯 방의 사람 중 나는 그 누구도 알지 못한다
가끔 옆방에서 새어 나오는 고함에 안도하곤 한다

한 친구가 목숨을 끊었다는 소식을 들었다
그 녀석의 마지막 게시물 속 빛나던 씨-마스터는
지금쯤 움직임을 멈추었을지도

죽었다. 보다는
사라졌다. 는 말이 좋다
밀물을 바라보며 연탄에 불을 붙이던 김 씨 아주머니도
유난히 미끄러웠던 비계에 발을 디디던 백 씨 아저씨도
오 년째의 시험에 떨어져 화장실에 들어선 소 씨도

그냥 모두 사라졌다고
여지를 남겨두고 싶다
잊힌 죽음은 너무 아플 것 같아서

4.
맨몸으로 맞닿는 비닐은

스며들지 못할 분자들의 섞임이 있다
다시 한번 사람들의 눈에 띌 때면
어쩌면 스러질지도 모르는 여린 사람들에게 안녕을

어느 길의 기억은 아스라이 무너져 가고

1.
뚫린 구멍으로는 녹슨 거리가 보였다
관리되지 않은 골목은 해가 지면 검은 장막으로 가린 듯 어두컴컴했
다 하나 있는 가로등은 불이 들어오지 않는다

2.
땅을 울리던 진동은 무생물의 것이다
피를 흘려버린 이들은 모두 어디에 있지

눈물을 흘리던 아이는 필름에 담겨 우리의 흥미가 되었다
산을 통해 일주일 만에 도망쳐 온 큰아버지의 발을 절뚝이고 피는 흐
르고 있다

파리가 가득해 게워 낸 것이 수십 회
게워 냄에 미안하여 눈물 흘린 것이 수 차례
뚫린 구멍에서는 화약 냄새가 피어올랐다
모두 피를 흘려버렸다

흠집조차 낼 수 없는 것에게
왜 모두 피를 흘리러 가는 거야
느껴지는 비정함은 내 손을 떠나간, 이제는 저편까지 퍼져나간 것

그것은 서러운 나의 바람이었을 뿐

서 있는 이들은 멈추지 않아
장갑차의 갑피를 주먹으로 두들길 거야
그것은 정해져 있지

3.
이제 구멍은 담쟁이에 가려 더는 거리가 보이지 않는다
장갑차의 손자국이 지워지지는 않았을까
모두 일상처럼 걸어가고 있어
핏자국 위를, 거리의 기억들을

지워지지 않는 기록을 사람들은 떠올리지 않아

켜지지 않는 가로등 아래서 조각난 그림자를 줍듯이

그럼에도 불구하고

거짓말쟁이의 밤이 밝았다

실개천에서 튀어 오른 녀석들은 그물로 향한다
오물 냄새
오래전 때를 놓쳐 친구들을 잃은 녀석이 운다

이 얕은 물가에서도 그물은 무겁기만 하다
자세히 살피면 이 그물에는 추억도 있고 그냥 흘러간 과거도 있고 적은 나이에 입직했다 디딤을 잘못해 구겨진 아이도 있다
냇가의 고기잡이배
오늘 밤도 만선임을 축하하며 엔진에 불을 올린다

통통, 밀려 나오는 물살이 흙을 뒤엎는다
탁해진 물에 기침하는 이들이 바위 아래서 튀어나오고
이들의 항의는 수면에 막혀 선상의 이들은 아무것도 듣지 못한다
개천에 하나 있는 다리를 지날 때는
불을 끄고 허리를 숙여야 한다
이런 사실을 몰랐던 젊은이 하나가 고꾸라졌다
우리는 쓰러진 젊은이를 그물 안에 넣는다

개천을 거슬러 올라 도착한 산 끝자락에는
달이 커다란 입을 벌린 채 누워 있다
우리는 그물에 들어있는 것을 몇 던진다

감질나 입맛을 다시더니 이내 사라지는 녀석
더는 방해할 빛이 없는, 완전한 거짓말쟁이의 밤이다

그리고 우리 옆에, 향유고래 한 마리가 물살을 뿜고 있다
오래전 기억을 잃은 녀석에게 나는 추억 몇 조각을 던져 준다
며칠이면 다 녹아 없어질 것에 기뻐하며 크게 물살을 뿜는다
흩어지는 물방울에 우리의 거짓 빛깔이 비치며 다시 하늘을 밝힌다

가장 어두운 산 아래에서, 숨은 달이 보이기 전까지 손에 잡히는 그물
들을 정리한다
오늘도 그물은 무겁다

그럼에도 불구하고 어둠은 한없이 가볍기만 하다

사랑하는 것이 어떻겠냐고 말했다

1.
나는 수많은 떨림을 사랑했다
미약하게 피부 위로 느껴지는 맥동과
열감에 반응해 수축해 흐르는 땀방울과
사랑에 긴장해 흔들리는 손가락 끝과
그 외의 모든 떨림

이 떨림은 두려움?
사는 것에 대한 두려움. 그래 두려움.

한숨을 내뱉고는 숨이 아니라 한다
잠들 때 나오는 것과 같다는 궤변
무엇이 다르냐 묻겠지만 이는 개화와 같은 수렴의 결과다
긴 세월의 결과이고
수많은 세포의 떨림이 거듭된 결과다

2.
매미가 제 떨림을 다하기까지 일주일
발성기관은 바쁘게 제 몸집을 불리며 삶을 소모한다
진동은 사이렌처럼 화음을 만들고
우리들은 이들의 떨림으로 계절을 체감했다

제 일주일을 세상에 색을 전달하고 떠난 녀석처럼

시들어 버릴 거야
시들어 버릴지도
아무리 모두 제 잘난 맛에 산다지만
알지도 못하는 이들의 거친 손길에 내 떨림을 멈추는 일은
너무나도 멍청하다고 여겨 이놈은 자기 몸을 웅크렸다
떨었다
제 진동에 묻힐 수 있도록

이것은 어린 나
여덟 살?
아마 열세 살의 나
새벽 한 시 왜인지 더워 어두운 복도로 휠체어를 끌고 온 나
푸른 빛을 내는 자동판매기 옆에 서 있던 간호사가
내 머리를 쓰다듬고 쥐여주었던 오렌지주스 한 병
항생제가 혈관을 타고 흐를 때의 아픔과
더운 날씨에 눈 감은 채 엄마를 찾던, 그런 내가
엉엉 울면서 자고 있을 때 손잡아 주었던
엄마였을까
그 붉은 옷 입은 간호사였을까

3.
내 발치에 죽어가는 매미들이 나열되어 있다
우리는 이들의 이름조차 알지 못한다
참매미인지, 말매미인지, 아니면 이국의 어느 다른 매미인지
힘 다해 멈춘 발성기관은 푹 쪼그라든 채 보기에 퍽 징그러운 모습이

다

더운 날씨에 이제는 육교를 건널 수 있게 된 내가
어느새 무너져 공터가 된 병원 앞에서
나는 아직도 깊은 한숨을 내쉬고 있다고
가슴의 떨림은 아직도 조금씩 이어지고 있다고

상실한 이들은 언제쯤 제 떨림이 멈추었음을 깨닫게 될지

비무장1호 - 벽돌방무덤

낙랑의 옛 무덤이 파헤쳐졌다
박사와 그 아래 연구생. 그리고 비무장지대에서 발굴 작업을 한다기에
모여 있는 뉴스 기자들 멀리서 쌍안경을 통해 지켜보는 이북 군인들
모두 누워있는 이의 유골을 들여다본다

구 노인은 제 딸의 무덤을 만들 돈이 없어
무덤을 덮기 전 조금 썩어버린 딸을 공주와 맞바꿨다
낙랑의 마지막 공주는 옆 언덕 소나무 아래 잠들어 있다

형광 점호

깜박이는 형광등이 있어 올려다본다
뿌연 유리등 안에서 점멸하는 불빛이 보인다

형광등은 깨지면 유해하기 때문에
수명이 다한 녀석도 조심히 다뤄야 한다

새 녀석으로 갈아 끼우자 녀석은 밝게 빛난다
멀쩡히 빛을 내던 다른 녀석들보다도 더 밝다
이러면 다른 녀석들이 힘겨워한다
자기들은 멀쩡하니까
꺼지지도 깜박이지도 않는데
녀석보다 어둡게 빛난다는 이유로
교체되고 싶지는 않으니까

틱 틱 안정기 씨에게 한 명이 나서서 이야기한다
새로 온 녀석 너무 나대지 않더냐
우리만 힘들다
안정기 씨는 녀석으로 보내는 전류에 수를 쓴다
틱 틱 녀석이 몸이 이상함을 느낀다
원래 이렇게 어둡지 않았는데
힘줘 빛을 더 내려 했는데
눈치도 보이고 더 뭔가를 했다가는
나도 전직자 꼴이 날까

갑자기 등골이 오싹해진다

시설 점열의 날이 밝았다
직원이 하나하나 이상이 없는지 체크한다
밝기는 튀는 것 없이 비슷하니 문제가 없다
한쪽 빛이 안 드는 삼십오 번 형광등이 교체되었다
또 새로 온 녀석도 열심히 일할 준비가 되어 있다

사람들의 점열이 끝나고
형광등 점열의 밤이다
안정기 씨와 나머지 오십사 개의 형광등 씨가
유난히 열심인 삼십오 번 형광등 씨의 처리를 논한다

세 번째 : 화초

꽃을 그리워하는 나무에는 열매가 맺히지 않는다

날씨가 마음이라면

잎을 잇다

애정의 끝

김유나

저는 제 뿌리가 화분 안에 있는 걸 압니다. 뿌리는 더 자라지 않지만 잎은 무성하려 합니다. 이걸 읽는 당신은 나의 태양 (˻ᵕ-)ơ-ɷ

꽃을 그리워하는 나무에는 열매가 맺히지 않는다

꽃잎 한 장이 떨어질 때 울리던 소리,
잊어달라.

꽃잎은 분수를 안다.
나긋한 봄 햇살을 같이 맞아두고
여름까지 매달려있길 바라는 건 여름을 거스르는 것.
때가 되어 떨어진걸
버림받았다 여기는 건 자신이 꽃인 줄 모르는 것.

내려앉고 울먹거리는 건 계절이 바뀐 걸 몰랐던 탓이다.

날씨가 마음이라면

당신을 마주할 때 이는 바람은 나로선 반갑지 않습니다.
나는 남쪽에서 불어오는 바람은 북풍이라
북쪽에서 불어오는 바람은 남풍이라 말합니다.

길에 낙엽이 쌓이면 곤란합니다. 굴러다니는 낙엽은 바람의 방향을 보여줍니다.
눈이 내리는 것 역시 안 될 일입니다. 흩날리는 진눈깨비는 너무나 적나라합니다.
나는 바닥을 쓸고 하늘엔 구름 한 조각 띄우지 않습니다.

빗물을 떨어뜨리는 날은 수치심에 열이 납니다.
나는 그 열로 젖은 땅을 바짝 말립니다.
땅은 금세 말라 당신은 비가 왔단 것도 모릅니다.

보다시피 내 하늘은 늘 맑습니다.
당신은 샛파랑을 바라보다 볕에 눈이 멀어
내 땅의 날씨 따윈 모르셔도 됩니다.

잎을 잇다

잎이어라, 잠시 더.
잎은 유예됐다.

잎은 축하를 받았다.
잎은 이미 채비를 마쳤으나
내색하지 않았다.

저버릴 수 없는
잎은 피어있었다,
기다리며.

잎이어라, 잠시 더.
그렇게 잎은 또 유예됐다.

잎은 제 몸만 파르르 떤다.

애정의 끝

사과 꽃이 떨어지기도 전에 나무는 한 아이를 위해 열매를 키우기로
했다.

사과 알은 점점 커져서 날이 무더워졌을 때 먹음직스러운 풋사과가
됐다. 나무는 성급하게 몇 알을 떨어뜨렸다. 때를 놓치면 맛볼 수
없는 시큼하고 푸르스름한 것. 누구는 빨간 것보다 더 좋다지만
아이는 줍지 않았다. 그래도 나무는 실망하지 않았다. 아이에게 줄
수 있는 건 한참 많았다.

사과는 노랬다가 불그스름해지고 향긋한 단 내를 풍겼다. 때가 되자
나무는 사과를 우수수 떨어뜨렸다. 하지만 사과 알들은 아이의 발에
챌 뿐이었다.

떨어진 사과가 바닥에서 썩어갔다. 달려있는 사과는 익을 대로 익
어 시뻘겠고 깊은 단 내에 벌이 꼬였다. 나무는 가지 끝으로 남은
사과를 움켜쥐었다.

툭,
마지막 사과가 떨어졌다.

그때 언덕 너머로 아이가 점점 가까워져 왔다.
'주우럼, 제발.'

마지막 사과가 아이의 발에 맞아 굴러갔다.
나무는 자신이 귤나무나 배나무가 아닌 걸 탓했지만 정작 아이는 여태 자기 발에 밟혔던 게 사과인 줄도 모른다.

네 번째 : 나비

책상 소리

망원경에서 보이는 우리

책의 여인

아무도 볼 수 없는 것

사랑

정인지

자신도 모르는 자기 마음에 관하여 제 생각을 적어 보았습니다. 자신의 마음 때문에 고통스럽고, 혼란 스러운 분들게 제 글이 조금이나마 위안이 되었으면 좋겠습니다.

책상 소리

책상에 귀를 대보면
저 너머에 소리가 들린다

무언가 꿈틀대는 듯한 소리
분명히 있다, 하지만 무엇인지 모르는 것

존재한다는 것을 믿기 시작하면
보이지 않는 두려움 때문에 의심은 커져만 간다

언젠가 의심이
펑
터져버리면

책상 너머에 소리는 들리지 않겠지

하지만 다른 소리도 들리지 않을 거야
설령 내 눈앞에서 삐거덕대는 책상의 소리라도

망원경에서 보이는 우리

별들은 무언가를 중심으로 빙빙 돌아
별들은 돌다가 서로 부딪히기도
서로 무리를 짓기도 해

다른 별과 부딪혀 튕겨 나온 파편들은
어두운 우주를 긁어 상처를 내
상처의 틈 사이로 별들이 터져 나와
새로운 은하수를 만들어내고 있어

별들은 서로 무리를 지어
빛나는 화살을 만들어
또 다른 별로 향하고 있어

어두운 우주 속 별들은 회전하며
빛나는 오선지를 그려내

이 빛나는 오선지에는
별들의 감정이 음표로 채워져
혜성들은 보이지 않는 음표를 밟아가며
우주 속에 아름다운 음악을 채우고 있어

망원경으로 바라본 별들은
아름다운 것을 만들며

우주를 떠다니지만

사실 자신들이 무엇을 만드는지도 모른 채
그저 무언가를 중심으로 빙빙 돌 뿐이야

책의 연인

읽는다는 것은 책을 사랑하는 과정
계속 읽다 보니 읽히지 않는 내용이 나타났습니다

손에 땀이 나도록 쥐어 잡아
한 글자라도 더 읽어 보려 하지만
책은 땀에 젖어만 갑니다

땀자국은 책을 다 읽게 된다면 추억이 되지만
다 못 읽는다면 손때가 되어 버립니다

결국 저는 자신이 없어 놓아 버렸습니다

더 이상 제 땀자국이 손때가 되어
책이 검어지지 않았으면 해서

부디 다른 분께는
추억으로 가득한 책이 되길 바라며

그녀를 떠나보냅니다

아무도 볼 수 없는 것

서로 부둥켜안는 마음 너머의
홀로 존재하는 마음

보이지도, 만져지지도 않으며
누구에게도 빼앗을 수도, 빼앗길 수도 없는 것이다

우주의 여행자는 알고 있다

답답함에 고통받는 이에게 보내는 편지
"달빛은 태양이 있어서 우리에게 다가오는 거야"

너는 이 편지를 보고 저 너머에 모습이 보이니
눈 앞 그의 눈동자 너머의 변하지 않는 것이 보이니

사랑

하늘의 우물이 세상을 비추고
그녀를 올려다볼 수밖에 없는 순간

우물 속 얇은 물 한줄기가
그녀를 검게 물들인다

그녀를 바라보기 위해 살아가지만
검게 물들어 보이지 않는다면
하늘의 우물이 있어야 할까

하늘의 우물이 져버려
세상이 검게 물든다는 이유로

그녀만을 검게 물들이는 이유가 되지 않아

하늘의 우물을 떨어트리자

세상 모든 것들이 검게 물들기 시작하고
나도, 그녀도 함께 물들어

다섯 번째 : 눈송이

재원

차분하지만 차갑지 않게.
안온하지만 느긋하지 않게.
흐릿하지만 투명하지 않게.

덧댄 겨울

1.
당신과 나의 계절을 마주 대어본 적이 있습니다
고르게 번져가는 온도를 매만진 적이 있습니다
차가운 물에 손을 씻으며
삶의 마디를 베어내어 만든 비슷한 온도
상처에서 숨을 틔우는 겨울

2.
봄이 온다더라
무심하게 던진 말 마디

당신이 혀 밑에 다정하게 숨겨둔 칼날에
나는 문득문득 상처 입었다

각자가 차지한 지표를 맞바꾼다면 이해할 수 있습니까
친절한 침묵마저 등을 돌리던 저물녘
흐느끼던 베개를 껴안고 밤의 장막을 찢었을 때
현관문 앞에서 물끄러미 눈을 맞춰오는
마른 등을 가진 옛 기억

3.

잘, 지내, 나는,
더듬거리며 인사를 건네고 받지 않는
당신과 나 사이에 맞닿은 사막
구부러져 자라는 선인장이 되어 키워내던 가시 돋은 말

겨울 가시는 끝마다 더욱 첨예해지고

머물던 동네와 동네 틈을 오고 가는 길
눈물을 뚝뚝 흘리며 나에게 어째서 이래요,
우리가 밤마다 훔쳐먹었던 단 것
그건 나의 시였고 단어였고 마음이었고 일기였다고 고백하고

4.
뒤틀린 온도에서 살아가는 식물이 되어
서로에게 던지는 옛 질문들을 되돌려 받으며
메말라가는 일

우리가 갓 태어난 것은 다행입니다
그런가요, 네, 잘 지내시나요,

말과 말이 닿는 밤마다 쨍그랑 소리를 내며 깨지는 정적
소리 없이 지르는 비명에는 아무도 깨어나지 않고
수면은 가장 좋은 약이 되니까
기도합니다, 잠이 들며 영원히 얼어붙기를

어떤 표류

모두가 가질 수 있다면 그건 보물이 아니야
두루마리 휴지 같은 문장은 하지 않기로 하자

소매에 돋아난 투명한 손

보이는 것보다 보이지 않는 게 더 많다는 걸 알아요
딸을 모두 삼켜버린 아버지의 이야기
새어나가는 것에게 어울리는 명사를 붙이는 작업
내가 너무나 온전한 나라서
영원히 당신을 이해하지 못합니다

그러나

기억하고 있어 나는
너의 그 말에 기대어 한참을 살아남았어

섬과 추상

내가 가진 모든 선을 모아
우리의 사이에 놓아두었습니다
선이 모여 바다가 됩니다

그래서 어떤 시인*은
사람과 사람 사이에 섬이 있다고 했나 봅니다

이제 섬과 섬 사이에는 다시 바다가 있고
가까워지기 위해서는 젖어야 하고, 물들어야 하고, 번져야 하고, 버려
야 하고, 두고 떠나야 하고, 발을 한껏 내지르고, 숨을 참고, 팔을 뻗
고, 두려워하고, 닿을 수 있다는 확신도 없이, 이것이 우리 사이의 바
다가 맞는지 끊임없이 의심하며, 잘못된 도착과 회귀를 감수하며, 다
시는 바다로 뛰어들지 않겠다는 다짐을 수없이 번복하며

이제는
뒤로 걷습니다 앞으로 생겨나는 발자국
그림자와 보폭을 맞추어 걷습니다

나는 나의 섬에 발을 두고
당신은 당신의 섬에 발을 두고

---

* 정현종 시인, <섬>.

흐릿해지는 법

신호등이 켜져도 걷지 않을 수 있다
출발지도 목적지도 아닌 곳에 가만히 서서
지나가는 사람들을 떠나보낼 수 있다

희미하고 흐릿한 것들이
선명해지지 않더라도 괜찮다

십 년을 알아 온 사람보다
십 분을 마주한 사람이 나를
더 잘 이해해 준다는 기분을 느낄 때면
시계는 왼쪽으로 돌고
너는 잔을 오른쪽으로 젓는다

나를 이야기해도 듣지 않을 것을 알아서
누구도 아닌 사람을 이야기하기로 했다

한때 소중했던 것들을 상자에 담고
이제는 버리자고 다짐하며 현관에 두고는
밖으로 내어가지를 못했다, 새벽에 현관으로
늦은 시간이 다리를 질질 끌며 들어와
다정하게 어깨를 안아주었기 때문에

얼음이 달그락거리며 녹는다
아무것도 달라지지 않은 오늘이 지나간다

추신 : 네가 그리워.

누군가의 일기엔 내 이름이 있을까
너의 뒤에는 내가 있겠지

세상은,
간절하지도, 절망하지도,
환희에 차지도 않는 밍숭맹숭한 세계는

가스 불을 켜고 올린 물이 끓기 전
그 짧은, 시간 동안 싱크대에 남은 그릇들을 씻어서
건조대에 올리고 물기를 훔치는,

무던하고 단조로운 하루
나는 다시 약속을 어기고

사랑 얘기만 할 뿐 세상을 모르는 내가
사랑을 한다니, 안 될 일이지

씀의 까닭

원인불명의 우울과 갈피 없음을 사랑합니다
이름 붙이기 어려운 감정들이 좋습니다

무언가를 쓴다고는 하지만
읽히리라고는 생각하지 않습니다
혼잣말과 다름없으나
그러므로 다정한 대답이 나를 울게 합니다

보고 싶은 사람의 얼굴이 문득 떠오를 때나
좋아하던 가게의 이름이 별안간 떠오르지 않을 때,
당신과 그런 일이 있었나, 하는 순간마다
슬퍼지는 사람들을 위해 씁니다

우리는 종종 울지만 삶이 항상 젖어있지만은 않습니다

함께 눅눅해집시다
마르는 것은 그다음의 일이니까요

꽃샘추위

날이 따뜻해졌다 입 안은 텁텁하다
추운 계절도 다 지나고 있다

어제는 또 일기를 쓰는 것처럼 그림을 그렸어요
너무 많은 말이 남아돌아서 페이지 위에
빼곡하게 그려도 그려도 남는 단어들은
진통제처럼 삼키고 하루를 보냈지요

그림자가 짧아지고 있습니다
나는 사람이 두려운데 사람으로 태어나버려서
종종 나도 나를 감당하기가 어렵습니다

나는 겨울에도 잔에 얼음을 채웁니다
몸 안에도 서리가 낍니다

그래도 봄이 오면
여름에는 겨울의 추위를 잊는 것처럼
겨울에는 여름을 그리워하는 것처럼
우리도 지난 계절은 다 잊겠지

낙엽만 몇 개 삭아가고
물 녹은 자국만 몇 개 말라가면서

그렇게, 봄
그리고 곧 돌아올 여름을 살겠지

여섯 번째 : 어린왕자

작심

바람과 별

따라쟁이

세상 끝에서 작별인사를

신재호

이 소설은 포터 로빈슨의 Goodbye to a World라
는 노래에서 영감을 얻어 만들어졌습니다.
결말의 고민이 많았습니다. 열린 결말, 해피엔딩, 세
드엔딩. 모두 만들어봤지만 결국 지금 결말을 선택
하였습니다.

작심

흘러가는 시계 초침을 바라봐도
나는 아무것도 하지 않습니다

시끄럽게 알람 소리가 울려도
나는 아무 의욕이 나지 않습니다

분명 방금까지 무언가 해야겠다고 생각했는데
내일의 나에게 맡겨버립니다
그리고 내일의 나는 아무 생각이 나지 않습니다

누군가 와서 제 시계를 바꾸고
시계 대신 호통을 칩니다

나는 부끄러움에 고개 숙이고
변하겠다고 다짐하지만
다음 날 멍하니 시계를 바라볼 뿐입니다

바뀌고 싶지만 바뀌려 하지 않고
변하고 싶지만 움직이지 않습니다

하염없이 시계 초침이 흐르는데
나는 아무것도 하지 않습니다

바람과 별

불어오는 차가운 밤바람에
어쩔 수 없이 숙인 고개를 들어 올립니다
텅 빈 하늘에 반짝이는 별
멍한 눈으로 바라봅니다

주변에는 나와 같은 사람들
모두 별을 바라봅니다
다들 그런가 봅니다

별이 대체 무슨 의민지
별이 있긴 하는 것인지
모두 별이 아닌 것인지

저 별들 사이에 나의 별이 있는지 찾아봅니다
사실 찾는 흉내입니다
사실 찾지 않았습니다

처음에는 별일까 싶었고
사실 별이 아니었고
나중에는 위성이란 걸 알았고
어쩐지 허무해집니다

불어오는 차가운 밤바람에

어쩔 수 없이 고개를 내립니다

주변에는 나와 같은 사람들
모두 고개를 숙입니다
다들 그런가 봅니다

따라쟁이

종이 속에 글을 적는다
손에 쥔 펜은 숫자를 써 내려간다

이해할 수 없는 글자
이해할 수 없는 숫자

이유도, 목적도 없는
그저 남들을 따라 하는 동작

오래전에는 이유와 목적을 알고 있었던 것 같았다
그건 꿈결같이 몽롱하고 희미한 기억

어딘가로 떠나고 싶지만 막막하고
무엇인가 하고 싶지만 두렵다

힐끗, 옆을 보니 남들도 나를 따라 하는구나

이제는 그저 나를 훔쳐보는 남들을 따라
나도 남을 훔쳐보며 살고 있다

마음이 편해서 마음이 편치 않아서
그래서 남들을 따라 하나 보다

종이 속에 글을 적는다
여전히 의미도, 이유도 모를 글을 적는다

세상 끝에서 작별인사를

　나는 왜 태어난 걸까? 나의 삶에는 무슨 의미가 있을까? 폐빌딩 옥상 난간 끝에서 나는 수없이 고뇌했다. 여기서 한 발자국만 더 나아가면 모두 끝일 텐데, '살아달라'는 기계음이 내 머릿속에서 그걸 막고 있었다. 수많은 변명 속에서 나는, 무가치한 삶의 끈을 놓지 못하고 있었다. 여느 때와 같이 발아래의 아득한 풀숲을 보며 깊은 한숨으로 가슴 속 가득했던 자살을 뱉어냈다. 그렇게 한참을 있던 나는 배가 고파져서 아래로 내려갔다. 다 무너져 가는 빌딩의 내부는 옥상과 다를 바 없어 보이지만, 나름의 아늑함이 존재했다. 잠자리로 돌아간 나는 익숙하게 모닥불을 피우고 통조림을 데웠다. 마지막 남은 콩 통조림은 특유의 퍼석함과 끈적거림으로 내 입안을 굴러다녔다. 나는 재빨리 통조림을 비워내고 잠시 멍하니 모닥불을 바라봤다. 이제 슬슬 추워지고 있으니 빨리 지낼 곳을 찾아야 했다. 이런 구멍 숭숭 뚫리고 이끼로 뒤덮인 빌딩에서는 도저히 겨울을 보낼 수 없었다. 마침 먹을 것도 떨어졌으니 새로 살 집도 찾을 겸 밖으로 나가기로 했다. 두꺼운 옷을 껴입고 탐험에 필요한 물품을 가방에 싸서 빌딩에서 내려갔다.

　초겨울 날씨는 쌀쌀했고 입에서는 연한 입김이 새어 나왔다. 녹음으로 가득 찬 이곳은 키 큰 나무와 덩굴이 무성해서 쓸만한 건물을 찾기 힘들었다. 지금 지내는 빌딩을 제외하면 입구에 들어가는 것부터 여간 힘든 일이 아니었다. 나는 전에 길들여놨던 길을 따라 걸었다. 전날에 비가 내려서인지 안개가 끼고 바닥이 축축했다. 뿌연 안개 속에서 초록 풀과 회색의 건물로 가득한 풍경을 보니 왠지 몽환적인 감상에 빠져들 것만 같았다. 길을 걷다가 문득, 웃음이 새어 나왔다. 매

일 아침 죽기 위해 옥상에 올라가는 놈이 배가 고프다고 건물을 뒤적거리는 꼴이라니. 줏대가 없는 건지 본능에 충실한 건지 모르겠다. 애초에 정말 죽고 싶다면 그냥 굶어 죽으면 그만인데 귀찮게 식량을 찾는 건 또 무슨 의미일까. 나는 정말 죽고 싶은 게 맞을까. 지금 삶에 가치를 느끼지 못하지만 동시에 죽을 용기는 없다. 어쩌면 죽고 싶다는 것보단 죽어도 상관없다는 표현이 더 알맞을지도 모른다. 하지만 나는 살아야 했다. 이게 전부 그 약속 때문이었다. 점점 머릿속이 어지러워질 때쯤 어느새 목적지에 도착해 있었다. 예전부터 식량이나 생필품을 찾으러 자주 오던 곳이니 이제는 아무 생각 없이 걸어도 도착할 정도였다. 내 앞에는 거대한 건물이 있었다. 내가 지내고 있는 빌딩도 충분히 큰 데 그걸 몇 개나 합친 정도의 규모였다. 입구에는 『00 백하ス』이라는 간판이 크게 걸려있었다. 그림은 아니고, 글자 같긴 한데 글자를 읽지 못하는 나로서는 무슨 의미인지 모르겠다. 이 건물이 본래 어떤 곳인지는 중요하지 않았다. 나한테 이 건물은 생필품을 얻기 위한 장소일 뿐이었다. 나는 건물 중앙으로 향했다. 거대한 만큼 가시덩굴이나 잔해 등 위험한 요소가 많지만, 여러 차례 왔던 곳이니 익숙했다. 어두운 내부와 달리 건물 중앙은 밝았다. 뻥 뚫린 천장 사이로 들어오는 햇빛이 안을 비추었다. 앙상한 철근과 엉망으로 무너진 잔해를 보면 정상적인 모습은 아니지만, 이곳을 탐험할 나에게는 잘된 일이었다. 천장에서 이어진 둥글고 커다란 구멍은 내가 서 있는 바닥을 넘어 더 깊은 곳까지 뚫려있었다. 태양 빛으로도 다 비출 수 없을 정도로 깊고 거대한 구멍이었다. 이걸 처음 봤을 때는 웅장한 모습과 깊이에 압도당했지만, 몇 번 오간 이후로는 무섭지 않았다. 오히려 질 좋은 생필품을 얻을 수 있는 달콤한 꿀통이었다. 구멍 아래는 음식부터 유용한 도구까지, 다양한 물품이 잘 보존되어 있었다. 위험한 곳이어도 탐험할 가치는 충분히 있었다.

나는 저번 탐험 때 사용했던 밧줄을 찾았다. 밧줄은 구멍 가까이에 있는 두꺼운 기둥에 묶여 있었다. 탐험을 위해 내가 직접 만든 굵고 단단한 밧줄이었다. 주위 모은 줄이며 천이며, 덩굴까지 쓸 수 있는 건 모두 이용해서 만든 것이다. 나는 주변을 살피고 마지막으로 크게 심호흡을 한 뒤, 천천히 줄을 잡고 아래로 내려가기 시작했다. 뚫린 천장을 통해 들어오는 햇빛에 의존하며 점차 어두워지는 지하로 내려 갔다. 그리고 얼마 지나지 않아 다리에 무언가 걸렸다. 난간이었다. 지하 1층에 도달한 듯했다. 내 목적은 더 아래였기에 그대로 다음 난간 이 나올 때까지 내려갔다.

지하 2층에 도착한 나는 손전등을 켰다. 이곳은 지하 1층과 달리 아직 식량이 남아있었다. 나는 발아래에 흩뿌려진 잔해 조각을 조심하 며 본격적인 탐험을 시작했다. 그러고 보니 저번에 봤던 장소에 통조 림이 있었던 것 같았다. 나는 과거의 기억을 더듬으며 어두운 실내를 헤쳐나갔다. 잠시간 걷자 이전에 눈여겨봤던 장소가 보였다. 다행히 통조림이 남아있었지만, 개수는 한 개뿐이었다. 게다가 저 통조림에 그려진 작고 동그란 갈색의 그림. 저건 분명 콩 통조림이었다. 끈적거 리고 퍼석한 식감에 이제는 그림만 봐도 입맛이 뚝 떨어지는 음식이 었다. 하지만 아무리 맛이 끔찍하다고 해도 여기까지 와서 버리고 갈 수는 없었다. 나는 정말 내키지 않았지만 콩 통조림을 주섬주섬 가방 에 쑤셔 넣었다. 그 이후에도 다른 통조림을 찾아다녔지만 결국 쓸만 한 것은 아무것도 발견하지 못했다.

다시 밧줄을 타고 지상을 올라왔을 때는 하늘이 어두워지고 있었다. 미련한 행동으로 괜히 안 써도 될 시간과 에너지를 써버렸다. 나는 쌀쌀해진 저녁 공기에 몸을 떨며 머물던 폐빌딩으로 돌아갔다. 안타깝게도 건물 내부에 들어가도 추위를 막을 수는 없었다. 갈라진 틈으로 날카로운 찬바람이 나를 난도질했다. 그나마 천장은 남아있기에 비를 피할 수는 있지만 그게 다였다. 아직 초겨울이지만 슬슬 온전한 거처를 찾지 않으면 곤란할 것 같았다. 당장 내일이라도 오전에 본 그 집으로 이사를 해야겠다는 생각과 함께 나는 모닥불을 지폈다. 따스한 온기와 붉은 불빛이 내 몸을 비췄고 쌓였던 추위와 피로가 녹아내렸다. 긴장이 풀리자 배에서 시끄러운 소리가 울렸다. 하긴, 오늘 먹은 거라곤 아침에 먹은 콩 통조림이 끝이었다. 원래 탐험이 끝나면 점심을 먹으려 했지만, 예상보다 탐험이 오래 걸리는 바람에 시간을 놓치고 말았다. 나는 가방에서 오늘 구해온 통조림을 꺼냈다. 통조림에 그려진 콩 그림에 그 맛을 떠올리고 짜증이 났다. 하지만 나에게 남아있는 식량은 이거뿐이었다. 아무리 먹기 싫어도 굶을 수는 없는 노릇이었다. 나는 가방에서 꺼낸 통조림을 모닥불 위에 올렸다. 통조림에 어느 정도 열기가 감돌자 나는 조심스레 내용물을 한 입 떠먹었다. 미끈거리고 끈적거리는 알갱이들이 입에 감돌자 씹지 않고 바로 삼켜버렸다. 비릿한 콩 냄새와 식감이 역겨워서 헛구역질이 나왔다. 지금까지 이걸 어떻게 먹었는지가 신기할 지경이었다. 이제 막 첫입을 먹었을 뿐인데 견딜 수 없는 짜증이 몰려왔다. 고작 이런 걸 먹으려고 위험한 탐험을 감행했던 건가? 이게 오늘 하루를 투자한 결과물인가? 강렬한 회의감이 나를 덮쳤다. 지금 상황을 도저히 견딜 수 없었던 나는 무작정 옥상으로 올라갔다.

사방이 뻥 뚫리고 차가운 바람이 불어오는 옥상은 어쩐지 위로가 됐다. 매일 아침 죽기 위해 올라오는 장소에서 위로를 얻고 있었다. 나는 모순을 느끼며 난간에 걸터앉았다. 어두운 밤에 감상하는 아래의 풍경은 아침과 달리 외롭고 쓸쓸해서, 마음이 차분해졌다. 얼마나 앉아 있었을까. 배에서 꾸륵거리는 소리가 들려왔다. 그런 소리를 듣고 있으니 문득 여러 생각이 들었다. 나는 왜 죽고 싶은 걸까. 왜 아침마다 이 난간 위에 서는 걸까. 비가 내려서 추우니까, 콩 통조림이 맛없으니까, 어딘가 다칠지 모르니까, 그러면 아프니까. 생각해보면 거창한 이유는 아니었다. 이 옥상에 오르기 시작한 게 언제부터였을까. 곰곰이 기억을 떠올려 봤다. 집이 무너져 내렸을 때? 심한 감기에 걸려 죽을 뻔했을 때? 탐험을 떠났다가 길을 잃고 겨우 돌아왔을 때? 남은 식량이 콩 통조림밖에 없었을 때? 어떤 하나의 사건이 계기가 되었을 수 있고, 모든 것이 계기가 되었을 수도 있다. 아니면 어떤 이유도 없던 것일지도 모르겠다. 그래서 매일 옥상에 오르기만 할 뿐 뛰어내리지는 못했다. 내겐 자격이 없었다. 그 약속을 어길 자격이 없었다. 그렇다고 이대로 살아있어도 괜찮은 걸까? 애초에 이 삶에 의미가 있는 건가? 사소한 이유지만 모두 고통뿐이었다. 주체적이지 못하고 하루하루를 그저 살기 위해 살아갔다. 목적도 목표도 없었다. 그런 삶에는 살아갈 이유가 없었다. 어느새 나는 옥상 난간 위에 서 있었다. 매일 아침과 똑같이, 아득하고 아찔한 기분으로 아래를 바라봤다. 이제야 내가 아침마다 이곳에 오르는 이유를 알 것 같았다. 나에게 죽어야 할 이유는 수없이 많았지만 살아야 할 이유는 오직 로봇과의 약속, 하나뿐이었다. '살아달라'는 짧은 유언은 나를 옭아매는 저주로 남아있었다. 하지만 나는 너무 지쳤다. 이제 저주를 끊고 고통뿐인 세상에서 벗어나고 싶었다. 생각을 정리하니 머리가 맑아졌다. 그렇다면 지금 떨어지는 게 편하지 않을까. 하루라도 빨리 이 고통을 끊어내는 것이 나에게 좋은 일일지 모르겠다. 밤에 오른 옥상은 쌀쌀하고 어두워서 망설임이 줄어드는 기분이었다. 지금은 지긋지긋한 기계음도 들리지 않았다. 나는 조용히 눈을 감고 몸에 힘을 풀었다. 천천히 몸이 앞으로 쏠려갔다. 내가 눈을 감고 긴 잠에 빠지려는 순간, 강렬한 바람이 불어왔다. 앞으로 엎어지려던 내 몸은 바람에 의해 순식간에 뒤로 넘어졌다. 분명 조금 전까지 바닥을 향하고 있었는데 어쩐지 지금은 하늘을 보고 누워있었다. 무슨 일이 일어난 건지 상황을 파악하기도 전에 어둠 속에서 반짝이는 하늘이 내 눈에 비쳤다. 그러고 보니 이렇게 제대로 하늘을 바라본 적이 있었던가? 있더라도 그건 아주 오래전의 기억일 것이다. 예전에 밤하늘을 보면 우울한 기분을 위로받을 수 있다는 얘기를 들었다. 그래서 한동안 밤하늘을 멍하니 바라봤지만, 예나 지금이나 어떻게 위로받는지, 애초에 위로가 무엇인지 잘 모르겠다. 그래도 전과 달라진 게 있다면 지금은 새로운 호기심이 나를 뒤덮고 있었다. 깊은 어둠으로 뒤덮인 하늘은 반짝이는 점들로 수 놓여 있었다. 저 반짝이는 점은 대체 무엇일까? 저 둥글고 커다란 점과 다른 작은 점의 차이는 무엇일까? 바람이 나를 살린 이유는 무엇일까? 그전에 그것에 목적은 있는 걸까? 검은 하늘은, 반짝이는 점들은, 나를 덮친 바람은 대체 어디에서 생겨서 어디로 향하는 걸까? 아니면 이것도 저것도 모두, 나의 한낱 망상일 뿐인 걸까? 눈앞의 광경을 보고 시작된 의문은 걷잡을 수 없이 내 머릿속을 점령해갔다. 차가운 밤공기 아래서, 나는 옥상에 올라온 본래의 목적을 잊고 새롭게 피어오르는 지식의 갈망을 좇고 있었다. 그리고 어느새, 내가 갖고 있던 고민을 대신하여 무수한 질문들이 별바닷속을 가득 채우고 있었다.

밤하늘에서 빛나는 점들로, 빛나는 점에서 바람으로, 바람에서 모든 것으로. 그렇게 꼬리에 꼬리를 물 듯이 이어진 내 의문은 날이 밝을 때까지 이어졌다. 귀에 익어 들리지 않게 된 풀벌레 소리가 잦아들 때쯤 나는 해가 떠오르고 있다는 걸 깨달았다. 밤 동안의 고민, 그것은 짧다면 짧다고, 길다면 길다고 할 수 있는 시간이었다. 이전에 나는 이 정도로 깊게 고민에 빠진 적이 없으니 개인적으로는 아득한 시간이었다고 할 수 있겠다. 그래서 이 기나긴 의문과 고민의 결론은 나는 아무것도 모른다는 것이었다. 이 세상에 대한 것도, 나에 대한 것도, 그리고 '살아달라'는 말의 의미조차도. 나는 아무것도 모르는 멍청이라는 결론만이 지금 내 머릿속에 남아있다. 나는 지금까지 나를 키워준 '로봇'이 남긴 마지막 유언을 명령같이 받아들이고 있었다. 나는 그 저주 때문에 살고 있었다. 살아있지만 살아있지 않았고, 텅 빈 껍데기처럼 비어 있었다. 만약 내가 유언의 진정한 의미를 알게 된다면 나의 저주를 부술 수 있을 것이다. 내가 알고 있는 것은 '로봇'이 내게 알려준 살아남는 방법뿐이었다. 그러나 내가 가진 의문에 비하면 그런 것은 모두 사소한 것들이었다. '로봇'과 약속한 '살아가라'를 알기 위해서 그리고 그 약속을 어기고 죽기 위해서는 이 세상에 대해, 나에 대해 알아야만 했다.

어느 정도 날이 밝아 올 때쯤, 나는 어제와 비슷한 장비를 가지고 건물 밖을 나섰다. 나는 평소대로 어제 갔던 커다란 건물로 걸음을 향했다. 그곳은 여러 번 갔던 곳인데도 늘 새로웠다. 게다가 나는 햇빛이 닿는 지하 2층까지밖에 가보지 않았으니 그 아래를 탐사해볼 가치는 충분했다. 이전에는 어두운 곳이 무서워서 깊은 곳까지 내려가기를 꺼렸지만, 지금은 달랐다. 죽을 준비를 하기 위해 탐험을 하는 건데 죽음에 겁먹는 것은 웃음이 나오는 이야기였다. 게다가 지금 상태라면 그대로 건물 속에서 죽더라도 별 상관없다는 생각이 들었다.

건물에 도착한 나는 단숨에 지하 3층으로 내려갔다. 우선 손전등으로 주변을 비추어서 위험한 잔해가 없는지 확인하고 몸을 난간 안쪽으로 날렸다. '탁'거리는 소리가 텅 빈 건물에 울려 퍼지고 무사히 착지에 성공했다. 항상 가던 곳에서 겨우 한 층을 내려왔을 뿐인데 들어오는 빛의 양은 확연하게 줄어들었다. 으스스한 분위기에 본능적으로 몸을 떨며 천천히 걸음을 옮겼다. 겨우 한 층 차이였지만 이곳은 2층과 비교했을 때 매우 어둡고, 위험했다. 곳곳에 커다란 잔해들이 길을 막고 있었고 바닥은 어수선했다. 날카로운 유리 조각이 사방에 깔려있어서 걸을 때마다 바스락거리는 소리가 났으며 곳곳에 뾰족한 철근이 튀어나와 있어서 긴장을 늦출 수 없었다. 나는 손전등을 꽉 쥐고 평소보다 더욱 조심스럽게 걸어 나갔다.

얼마나 걸었을까. 상당한 시간 동안 건물을 내부를 이곳저곳 돌아다녀 보았지만 유의미한 성과를 얻지 못했다. 정체를 알 수 없는 도구나 장치 따위들만 먼지를 잔뜩 뒤집어쓰고 있을 뿐이었다. 이곳의 위험도나 내 기대에 비하면 김빠지는 결말이었다. 하지만 이렇게 그냥 돌아갈 수도 없는 노릇이었다. 조금만 더 둘러보자는 생각으로 나는 다시 걸음을 옮겼다. 그렇게 또 잠시간의 탐험을 하던 중 특이한 물체를 발견했다. 그건 로봇이었다. 깨끗하고 새하얀 로봇의 모습은 지상에 있는 머리만 굴러다니고 오랜 녹과 이끼로 뒤덮인 로봇과 달랐다. 지금 랜턴에 비치고 있는 로봇은 상당히 온전한 생김새였다. 머리 부분이 약간 깨진 것 같지만 대수롭지 않게 넘길 수 있을 정도이고, 먼지가 살짝 쌓였을 뿐 눈에 띄는 변색도 없었다. 어쩐지 신기하고 그리운 느낌이 들어서 나는 무심코 로봇을 향해 손을 뻗었다. 차가운 금속의 감촉이 손끝에 전해지고 과거의 추억을 떠올리려는 순간, 로봇의 얼굴 부분에 붉은빛이 들어왔다.

"진동 감지. 진동 감지. 이곳은 위험합니다. 대피하십시오! 반복합니다. 진동 감지. 진동 감지…."

로봇은 붉은빛을 깜박거리며 시끄러운 소리를 반복했다. 나는 커다란 소리에 놀라, 손전등을 떨어뜨리고 붉은빛과 커다란 소리가 건물 내부를 점령하는 걸 멍하니 지켜보았다. 로봇은 어떻게든 움직이기 위해 끊임없이 진동을 반복하며 시끄러운 소리를 내었다. 그 모습은 어딘가 처절하고 간절해 보여서 가슴 한편이 아려오는 듯했다. 오래전에 느꼈던 다시 떠올리기 싫은 불쾌한 감정이었다

"진동 감지. 진동 감지. 빨리 대피하십시오! 이곳은…."

한참을 소리 내던 로봇은 짧은 단말마와 함께 소리를 멈추고 붉은빛이 꺼졌다. 나는 처음 봤을 때와 같이 조용해진 로봇을 보고 조심스레 손을 머리 위에 올렸다. 방금 만졌을 때는 차가운 느낌이었지만 빛을 내서 그런지 약간 따뜻해져 있었다. 시끄럽게 울리던 로봇의 말이 신경 쓰이긴 했지만 걸음을 멈출 여유는 없었다. 나는 로봇의 모습에 묘한 고적함을 느꼈다. 그리고 그것의 머리를 한번 쓰다듬은 뒤, 다시 걸음을 옮겼다.

한동안 더 탐사를 이어갔으나 성과는 없었다. 아쉽지만 언제까지 이곳에 남아있을 수도 없었다. 이곳은 위험하고 식량이라 할 것도 없었다. 게다가 무척 어둡기에 정신적으로도 한계가 찾아오고 있었다. 손전등이 꺼지는 순간 모든 게 끝이니까 슬슬 돌아가야 했다.

사건은 보통 예상치 못한 곳에서 일어난다. 그런 것들을 피하기 위해선 충분한 준비를 하거나 자신의 감을 믿어야 한다. 그리고 좋지 않은 예감과 부족한 준비가 겹친다면 거의 확실하게 안 좋은 사건이 일어난다. 나는 이런 걸 지금까지의 경험을 통해서 배워왔다. 왔던 길을 되돌아가는 길, 문득 방금 시끄럽게 울리던 로봇의 모습이 떠오르고 불길한 예감이 내 머리를 스쳐 지나갔다.

"쩌적."

내가 조치하기도 전에 불온한 소리가 새어 나왔다. 잔해를 밟았을 때와는 명백히 다른 소리였다. 순간 싸한 분위기가 빈 건물에 감돌았고 나는 떨리는 눈으로 밑을 내려다보았다. 바닥은 금이 가 있었다. 단순한 잔해의 흔적이 아니다. 금방이라도 무너질 듯 쩍쩍 갈라져 있었다. 분명 안쪽을 탐험했을 때는 이런 균열은 보지 못했다. 내가 길을 잘못 든 걸까. 다시금 길을 상기하려는 순간에도 계속 '쩌적'거리는 소리가 울렸다. 어쨌든 여기는 너무 위험했다. 빠르게, 하지만 조심스레 이곳을 빠져나가야 했다. 나는 긴장을 늦추지 않고 발끝과 바닥에 온 신경을 기울이며 조심스레 걸음을 옮겼다. 그렇게 한 걸음 한 걸음 돌아가던 순간. '푹' 하고 땅이 꺼지는 느낌이 들었다. 무슨 일이 일어난 건지 미처 생각할 겨를도 없이 강렬한 굉음과 함께 내 몸이 붕 떴다. 무수한 잔해더미가 나를 덮쳤고 눈앞이 새까매졌다. 내 비명은 건물이 무너지는 소리에 묻혔고 의식은 뚝 하고 끊어졌다.

얼마나 시간이 흘렀을까. 떨리는 눈으로 의식을 찾았지만, 눈앞은 새까만 어둠뿐이었다. 머릿속이 멍하고 이명이 들려왔다. 나는 작게 머리를 흔들고 눈을 꽉 감았다가 뜨며 정신을 차렸다. 전신이 욱신거렸지만, 다행히 피가 나는 느낌은 들지 않았다. 몸을 뒤척이며 바닥을 훑으니 돌무더기 사이로 손전등의 손잡이가 잡혔다. 마지막까지 꼭 잡고 있어서 멀리 떨어지지 않은 모양이었다. 손전등의 불을 켜고 일단 몸부터 살폈다. 옷까지 벗으며 다친 곳이 없는지 살펴보았다. 몸은 시퍼런 멍을 가득했지만, 큰 상처는 보이지 않았다. 움직이는 데 큰 어려움이 없으니 어디 부러진 곳도 없는 듯했다. 위층에서 떨어졌는데 이 정도 부상이라니, 기적이었다. 나는 절뚝거리는 다리를 붙잡고 주변을 살펴보았다. 내 앞에는 커다란 나무문이 있었다. 주변은 커다란 잔해더미로 막혀 있으니 내게 선택지는 없었다. 이 문 너머에 무엇이 있을지 몰라도 나아가야만 했다. 나는 문고리를 잡고 침을 삼켰다. 쿵쾅대는 심장 소리와 함께 짙은 긴장감이 몰려왔다. 잠시 마음을 다잡고 천천히 문고리를 잡아당겼다. 끼익하는 쇳소리와 함께 천천히 문이 열렸다.

"콜록, 콜록."

문 안으로 발을 들어서는 순간, 퀴퀴한 공기와 먼지가 나를 덮쳤다. 나는 기침과 함께 손을 저으며 먼지를 날려 보냈다. 손전등을 비추어 보았지만, 빠르게 흩어지는 바퀴벌레를 제외하면 눈에 띄는 무언가가 보이지는 않았다. 다만 걸을 때마다 울리는 발소리나 텅 빈 감각이 느껴지는 것으로 보아, 무척 넓은 장소라는 걸 알 수 있었다. 긴장을 놓지 않고 조심스레 걸음을 옮기던 중 '툭' 하는 소리와 함께 발밑에 무언가 걸렸다. 나는 휘청거리는 몸의 중심을 잡고 바닥을 향해 손전등을 비춰보았다.

"이건…. 책?"

내 발에 걸린 것은 작고 네모난 모양의 책이었다. 글자를 읽을 수 없어서 무슨 내용인지는 모르겠지만 이건 분명 책이었다. 책은 어렸을 적 내가 살던 집에서 본 이후로 찾을 수 없었다. 설마 여기서 발견하게 될 줄은 몰랐기에 신기한 기분이 들었다. 더욱이 바닥에 놓인 책은 한 권이 아니었다. 좀 더 멀리서 빛을 비추니 수십 권의 책이 바닥에 널브러져 있었다. 다른 곳을 비춰봐도 책, 책, 책. 온통 책으로 둘러싸여 있었다. 책으로 가득한 공간에 고개를 갸웃거리고 있으니 어디선가 기계가 작동하는 듯한 소리가 들려왔다.

"…생체 반응 확인. 절전상태를 해제합니다."

책 무더기 속에서 목소리가 들려왔다. 그것은 로봇의 목소리라고 하기에는 너무 부드러웠고 인간의 목소리라고 하기에는 너무 딱딱했다. 물론, 나는 나 이외의 인간을 본 적이 없어서 인간의 목소리를 잘 안다고 할 수 없었다. 하지만 로봇의 목소리는 몇 번 들어본 적이 있었다. 그리고 지금 들리는 소리는 왠지 로봇의 소리라는 느낌이 들었다.

"지금부터 생명체를 향해 접근하겠습니다."

내가 소리의 근원에 대해 고민하는 사이 다시금 목소리가 흘러나왔고 눈앞의 책 무더기가 흔들리기 시작했다. 나는 심상치 않은 분위기에 조금씩 뒤로 물러서며 움직임을 경계했다. 부들거리던 책더미 속에서 불쑥, 무언가가 튀어나왔다.

"생체 반응을 확인. 인간임을 확인했습니다."

까만 머리카락과 눈, 그리고 하얀 살결. 그것은 로봇의 머리가 아니었다. 오히려 나와 비슷한 인간에 가까운 얼굴이었다. 그리고 다시 한번 책 무더기가 흔들리더니 이번에는 완전히 전신을 드러냈다. 그 모습은 얼굴 부분과 마찬가지로 로봇보다는 나와 닮아 있었다.

"질문. 당신은 인간입니까?"

그것은 가녀린 목소리로 내게 물었다. 부드럽고 듣기 좋은 목소리였지만 한없이 딱딱하고 차가운 말투 때문에 다소 괴리감이 느껴졌다. 나는 고개를 갸웃거리며 나를 쳐다보는 그것을 멍하니 바라보다가 정신을 차리고 입을 열었다.

"…그래. 나는 아마 인간이야. 그러는 너는 무엇이지? 로봇인가?"

"긍정. 저는 로봇입니다. 정확한 기기명은 'EVE-1'. 세계 인공지능 학술 연구회에서 제작된 로봇입니다. 그리고 보시다시피…. 정정. 이곳의 불을 켜겠습니다."

로봇의 눈이 감기고 잠시 뒤 '성공'이라는 목소리와 함께 환한 빛이 나를 덮쳤다. 나는 갑작스러운 빛에 왼팔로 얼굴을 가리며 눈을 찡그렸다. 잠시간 시간이 지나고 어느 정도 빛에 적응했을 때쯤, 천천히 고개를 들고 눈앞의 로봇을 바라봤다. 밝은 곳에서 보니 더욱 잘 알겠다. 딱딱한 태도나 행동, 그리고 자신을 로봇이라고 주장하는 걸 보았을 때 그것은 로봇임이 틀림없었지만, 그것은 너무나도 인간과 닮아 있었다. 긴 머리의 흑발과 커다란 눈, 정교한 코와 입 그리고 작고 가녀린 팔다리까지. 나보다 머리카락이 길고 몸집이 작다는 걸 제외하면 특별한 차이가 없었다. 만약 자신을 로봇이 아닌 인간이라고 주장했었어도 충분히 믿을 만했다. 로봇에서 시선을 떼고 주변을 둘러보니 이곳은 거대한 서고란 걸 알 수 있었다. 고개를 젖히면 아득할 정도로 높은 천장이 보이고 벽은 거대한 책장과 그 속에 박힌 책들로 빼곡했다. 세 개의 층으로 이루어진 벽 가득 책이 있으니 신기함을 넘어 경이로울 정도였다. 심지어 지금 내가 서 있는 바닥에조차 수십, 어쩌면 수백 권의 책이 바닥에 쌓여 있거나 널브러져 있었다. 주변을 둘러보고 다시 로봇에게 시선을 향했다. 이브라는 이름의 로봇은 눈을 깜빡이며 나와 시선을 교차하고 있었다. 그에게는 물어볼 게 많았다. 정체는 무엇인지, 왜 여기에 있는 것인지, 무엇을 알고 있는지 등등. 적어도 나와 적대하는지 아닌지는 확인해야 했다. 나는 질문을 위해 입을 열었다.

"너는 왜 여기에 있는 거지? 무슨 목적이 있는 건가?"

로봇은 눈을 내리깔고 잠시 고민하다가 고개를 들고 대답했다.

"대답. 제 의식이 깨어났을 때부터 이곳에 있었기에 자세한 경위는 알지 못합니다. 그리고 목적은…. 이 도서관 속 책을 모두 읽는 것입니다."

"책을 모두 읽는 게 목적이라고? 왜?"

다소 뜬금없는 대답에 절로 고개가 갸웃거려졌다. 로봇이 책을 읽는다는 것도 생소할뿐더러 그게 목적이라니.

"이유. 저는 인간이 되고 싶기 때문입니다. 그렇기에 최대한 많은 책을 읽어야 합니다."

인간이 되고 싶은 로봇이라. 특이한 목표였다. 적어도 내가 본 로봇 중에 인간이 되고 싶었던 로봇은 없었다. 책을 읽어서 인간이 된다. 터무니없어 보이지만 논리적인 것 같기도 했다. 어쩌면 로봇의 목표는 나의 목표와 맞닿아 있는지도 모르겠다.

"저기…."

내가 무언가 말하려는 순간, 로봇의 모습이 어딘가 이상해 보였다. 눈이 반쯤 감겨있고 몸이 축 늘어져 있었다. 로봇에게 이런 표현을 쓰는 게 맞는지 모르겠지만 무척 피곤해 보였다. 어떤 태도를 보여야 할지 고민하는 사이 로봇이 먼저 입을 열었다.

"도움. 에너지가 부족합니다."

피곤해 보이는 건 에너지가 떨어졌기 때문인 걸까. 로봇이라면 주변에 충전 키트 같은 게 있지 않나? 그리고 보니 이런 곳에 로봇이 있는 게 이상했다. 조난 같은 걸 당한 건가.

"충전이 필요한 거야?"

로봇은 나의 의아한 표정을 보고 고개를 끄덕였다.

"긍정. 본 기기는 태양열을 주 에너지원으로 사용합니다. 곧 에너지가 모두 소진되니 빨리 충전을 부탁드립니다."

로봇은 그 말을 끝으로 에너지가 다 떨어졌는지 눈을 완전히 감아버렸다.

"잠, 잠깐!"

나는 맥없이 쓰러지는 로봇을 겨우 받아들었다. 충전이라면 로봇이 말한 대로 태양열이 필요한 건가? 그렇다면 밖으로 나가야 했다. 나는 로봇을 안은 채로 잠시 고민에 빠졌다. 이곳에 온 것도 예기치 못한 사고 때문이었다. 나 혼자라면 몰라도 이렇게 커다란 짐을 가지고 무사히 지상으로 돌아갈 수 있으리란 보장은 없었다. 그리고 아직 이 로봇에 대한 정보가 부족했다. 만약 같이 지상으로 올라갔다고 해도 로봇이 내게 적대적이라면 스스로 위험을 불러온 셈이나 다름없었다. 이대로 두고 가는 게 가장 안전한 선택이었다.

"……"

나는 물끄러미 품에 안긴 로봇을 바라봤다. 죽은 듯 눈을 감고 아무런 반응도 없는 로봇. 유독 이 로봇이 인간을 닮아서 그런가, 아니면 과거의 향수 때문인가. 왠지 내버려 둘 수가 없었다. 그리고 이 로봇은 인간이 되기 위해서 많은 책을 읽었다고 했다. 대체 몇 권의 책이 있는지 가늠조차 할 수 없는 거대한 도서관에서 수많은 책을 읽은 로봇의 지식은 어느 정도일까. 설령 책을 읽지 않았다고 하더라도 기본적으로 로봇은 여러 가지 지식을 가지고 있다. 이 로봇이라면 내 바람을, 내가 원하는 지식을 채워줄지도 모른다. 이건 치명적인 위험일 수 있지만 동시에 절호의 기회였다. 나는 조금 더 고민하다가 결심을 했다. 이 로봇과 함께 지상으로 올라가는 것이다. 결론을 내린 나는 마음을 다잡고 로봇을 들쳐멨다.

　지상으로의 탈출은 생각했던 만큼 힘들지 않았다. 가장 큰 걸림돌이 될 거로 생각했던 로봇의 무게는 의외로 문제가 되지 않았다. 로봇은 종이로 만들어진 것처럼 무척 가벼웠다. 오히려 중간중간 잠깐씩 전원이 들어와서 길을 알려주었다. 덕분에 빠르게 난간을 찾고 위에서 던져 놓았던 밧줄을 발견할 수 있었다. 그렇게 최선을 다해 위로 올라간 결과 아슬아슬하게 해가 지기 전에 지상에 도달할 수 있었다. 로봇은 노을이 질 때쯤 정신을 차렸다. 한동안 일어나지 않길래 특별한 충전 방법이 있나 고민했으나 필요 없는 걱정이었다.

"질문. 이곳은 어디입니까?"

로봇은 아직 충전이 부족한 탓인지 약간 졸린 눈으로 주변을 둘러보았다. 노을빛에 그을린 머리칼과 그늘진 얼굴을 보니 처음 만났을 때보다 더욱 신비한 기분이 들었다. 나 이외의 인간을 만나게 된다면 이런 느낌일까. 어쩐지 가슴이 뛰는데 그것이 공포 때문인지 설렘 때문인지 알 수 없었다.

"여기는 지상이야. 우리가 있던 건물의 위지."

로봇은 내 말을 듣고 일순간 눈을 크게 떴다. 그리고 '지상…'이라는 중얼거림과 함께 신기하다는 듯이 다시 한번 주변을 둘러보았다. 조심스레 바닥을 만져본다던가, 쭈그려 앉아서 잡초를 구경한다던가. 의미를 알 수 없는 행동을 이어가다가 불쑥 나에게 시선을 돌렸다.

"인사. 감사합니다. 당신 덕분에 에너지 충전이 가능했습니다."

그리고 깊게 허리를 숙이며 내게 말했다. 허리를 숙이는 행위가 어떤 의미인지는 잘 모르겠지만 진심이 느껴지는 행동이었다. 눈을 뜨자마자 나를 덮치는 상상까지 했는데 다행히도 최악의 상황은 찾아오지 않았다.

"너는 이제 어떻게 할 거야? 다시 도서관으로 돌아갈 거야?"

일단 데리고 올라오긴 했지만, 억지로 나를 따라오라고 할 수 있는 것도 아니었다. 로봇의 목표는 책을 읽는 것이라고 했으니 충전이 끝나면 원래 있던 도서관으로 돌아갈 수도 있었다. 하지만 내 예상과 달리 로봇은 고개를 저었다.

"부정. 그곳은 태양열을 받지 못합니다. 그곳에 있을 이유가 없습니다."

"책을 읽는 게 너의 목적이라며?"

"네. 하지만 그곳의 책은 모두 읽었습니다."

로봇은 태연하게 고개를 끄덕이며 대답했다. 당연하다는 듯이 말했지만, 그 내용은 전혀 당연하지 않았다. 천장이 아득할 정도로 높고 거대한 도서관에서, 몇 권인지 가늠조차 할 수 없는 수의 책들을 모두 읽다니. 그게 가능한 건가? 글자도 읽지 못하는 나로서는 엄두도 못 낼 일이었다. 역시 로봇이라 가능한 일일까.

"이제 어떡할 생각이야?"

로봇은 눈을 감고 잠시 고민하는 모습을 보였다. 그리고 얼마 지나지 않아 생각이 끝난 듯 다시 눈을 떴다.

"…아직 정하지 못했습니다. 다만 인간이 되고 싶은 건 변하지 않았습니다."

아직 결정하지 못한 건가. 하긴, 눈을 떴을 때부터 도서관이었고 목표였던 책 읽기도 모두 끝냈으니 당장 자신의 미래를 결정하라고 해도 혼란스럽겠지. 하지만 이건 나에게는 잘된 일이었다.

"그럼 나와 같이 가지 않겠어?"

"당신과 함께, 말입니까?"

수상한 점이 있긴 하지만 로봇의 지식은 내 바람을 이루어줄 좋은 기회였다. 그렇게 많은 책을 읽었다면 분명 내 의문을 풀 수 있을 것이다. 그리고 이건 로봇에게도 좋은 이야기였다.

"그래. 내게 세상에 대해 알려줘. 나는 너에게 인간에 대해 알려줄게."

"세상에 대해서….."

"네가 읽었던 책의 내용이라도 좋으니까. 너도 인간인 나와 함께 지내면 무언가 느끼는 바가 있지 않겠어?"

"함께 지낸다….."

로봇은 내가 했던 말을 곱씹으며 생각에 빠졌다. 눈을 찡그리고 팔짱까지 낀 모습을 보니 방금 거취에 관해 물었을 때보다 더욱 깊게 고민하는 것 같았다. 혹시 고민하던 중에 다시 에너지가 떨어진 게 아닌가 걱정이 될 정도로 긴 시간 동안 침묵하던 로봇은 이윽고 다시 고개를 들었다.

"알겠습니다. 당신과 함께하겠습니다."

"좋아. 앞으로 잘 부탁해, 로봇."

긍정적인 답변을 받은 나는 미소와 함께 로봇에게 손을 내밀었다. 로봇은 내 손을 말없이 빤히 바라봤다. 새로운 관계를 시작할 때는 이렇게 하는 거라고 배웠는데. 틀렸던 걸까? 어색함을 느끼고 다시 손을 거두려는 찰나, 로봇은 천천히 내 손을 맞잡았다.

"…잘 부탁드립니다. 그리고 제 기기명은 'EVE -1'입니다. '이브'라고 불러주십시오."

따뜻하고 부드러운 감촉이 전해지는 손에 나도 모르게 몸을 흠칫 떨었다. 차가운 로봇이 이런 온기를 낼 수 있다는 게 상상이 되지 않았다. 다시금 눈앞의 그것, 이브가 로봇인지 의심이 들었다. 내가 멍하니 있으니 이브가 고개를 갸웃거렸다. 그리고 무언가 깨달았는지 "아⋯."
라는 소리와 함께 슬그머니 입꼬리를 올렸다. 그 모습을 보니 어쩐지
내 고민이 쓸모없는 것이라는 생각이 들었다. 중요한 건 이브가 이 세
상에 대한 지식이 풍부하다는 것이었다. 그것만 있다면 이브가 로봇이
든 인간이든 그 외의 다른 것이든, 아무 상관 없었다.

　집으로 돌아오는 길에서 이브와 나는 짧은 대화를 나누었다. 서로에
게 궁금한 걸 물어보는 시간이었지만 질문은 거의 나밖에 하지 않았
다.
"이 세상은 어떤 곳이야? 왜 이렇게 폐허로 가득한 거야?"
이곳은 내가 태어날 때부터 바뀌지 않았지만 생각해보면 어색한 것이
한두 개가 아니었다. 이브를 만난 건물을 포함해서 거의 모든 건물이
엉망으로 망가져 있고 녹음으로 뒤덮여 있었다. 그리고 나를 제외하면
살아있는 생물 자체가 거의 없었다. 그 이유가 줄곧 궁금했다.
"대답. 정확한 지명은 조사 시간이 더 필요합니다만 이곳은 지구입니
다. 이렇게 폐허가 된 이유는 갖가지 재앙과 전쟁의 영향으로 추측됩
니다."
"재앙과 전쟁?"
생소한 단어에 나는 걸음을 멈추고 이브를 바라봤다. 그녀 또한 뒤돌
아서 나를 바라보며 계속 설명을 이어갔다.
"설명. 서고에 남아있던 '호밀의 수기'에 따르면 서기 2500년쯤 이상
기후로 인한 화산 폭발, 지진, 해일, 침수 등으로 인류는 치명적인 피
해를 보고 자원 확보를 위한 전쟁이 일어났습니다. 핵무기, 생화학 무
기 등의 남발, 그리고 소행성의 충돌로 인해 지구 생물의 대부분이 죽
음을 맞이했습니다."

이브는 낮게 가라앉은 검은 눈으로 담담하게 이 세상의 진실을 내게 전했다. 이상 기후, 전쟁, 핵무기, 소행성 충돌. 갑자기 너무 많은 정보가 들어와서 머릿속이 혼란스러웠다. 대부분 의미를 알 수 없는 단어였고 어째서 그런 일이 일어났는지 이유를 알 수 없었다. 하지만 내가 지금 어떤 상황에 부닥쳐 있고 내 주변 환경이 왜 이런지는 대충 이해가 갔다.

"그러면 수기를 쓴 호밀이라는 사람은 살아있는 거야?"

나는 다시 천천히 걸음을 걸으며 물었다. 이브는 그런 나를 뒤 따라오며 고개를 저었다.

"부정. 책의 상태와 마지막 부분의 '이 기록과 함께 내 삶을 마치겠다.'라는 구절을 보았을 때 그가 살아있을 확률은 지극히 낮습니다."

역시 살아있을 리가 없겠지. 예상은 했지만 조금 아쉬웠다. 다른 인간이 있었다면 내 의문을 해결해 줄지도 몰랐다. 이 대화를 끝으로 이브도, 나도 입을 열지 않았다. 나는 세상의 진실을 마주한 혼란함과 약간의 실망감을 품은 채 조용한 밤거리를 걸었다.

이브는 폐빌딩을 둘러보고는 놀란 표정으로 "질문. 이곳이 집인 겁니까?"라는 말을 했다. 그리고 절전 모드로 변경하겠다는 말을 끝으로 그대로 의식을 잃었다. 절전 모드라고 해도 갑자기 쓰러지면 곤란할 따름이었다. 처음에는 적당히 바닥에 두면 될 거라 생각했지만 어딘가 안쓰럽다는 생각이 들었다. 나는 저 바닥이 얼마나 차갑고 딱딱한지 알고 있었다. 비록 로봇이었지만 나보다 가녀리고 작았다. 나는 이브를 들어 올려 두꺼운 종이가 쌓인 잠자리에 내려놓았다. 나는 대충 위험해 보이는 잔해를 치우고 바닥에 몸을 뉘었다. 딱딱한 바닥이지만 파도처럼 몰려오는 졸음에 절로 눈이 감겼다.

다음날 눈을 떴을 때 이브의 모습은 보이지 않았다. 이브가 깔고 잤던 종이 뭉치는 깔끔하게 정리되어 한쪽 벽면에 놓여 있었고 심지어 이불처럼 내 몸 위에 덮여 있기도 했다. 가볍게 주변을 둘러보아도 이브의 모습을 찾을 수 없었다.

"이브-!"

이름도 몇 차례 불러보았지만 돌아오는 대답은 없었다. 이미 떠났지 않았을까 하는 생각이 들었다. 이곳이 마음에 들지 않았던 것일까. 그러던 중 문득, 충전이란 단어가 머릿속을 스쳤다. 나는 혹시나 하는 마음으로 옥상으로 향했다.

"이브."

예상대로 이브는 옥상에 있었다. 조용히 눈을 감고 하늘을 보고 누워 있었다. 조금이라도 빛을 더 많이 받으려는 듯 몸을 쫙 핀 모습이었다. 내 인기척을 느꼈는지 이브가 내 쪽으로 고개를 돌렸다.

"좋은 아침입니다."

"충전하고 있던 거야?"

나는 이브의 옆에 주저앉으며 말을 걸었다. 막 해가 뜬 참이기에 옥상의 바닥은 온기보다는 냉기로 가득했다. 그리고 쌀쌀한 공기가 뺨을 스쳐 지나가는 걸 느꼈다. 이런 추운 곳에 누워있는 게 신기했다. 이브는 내 모습을 물끄러미 바라보다가 나를 따라 쪼그려 앉는 거로 자세를 바꾸었다.

"긍정. 아직 적정 수준의 에너지양에 도달하지 못했기에 충전 중이었습니다."

"그래? 어제 충전으로는 부족했던 모양이네."

어제 지상으로 올라왔을 때는 노을이 지고 있었으니 역시 충전을 끝내기는 힘들었을 것이다. 그래서 어젯밤에도 바로 쓰러졌던 거겠지.

"긍정. 모두 소진된 에너지를 회복하기에 어제 태양열은 질도, 시간도 부족했습니다."

이브는 고개를 끄덕거리며 말했다. 나는 이브의 설명을 듣고 시선을 앞으로 돌렸다. 이곳은 여러 번 올라왔지만 이렇게 앉은 채로 있어 본 적은 없었다. 옥상의 풍경은 아침일 때와 밤일 때, 그리고 서 있을 때와 앉아있을 때의 모습이 모두 달랐다. 항상 나는 난간에 서서 아득한 아래로 시선을 향하고 있었다. 앉아있을 때는 푸르른 풀숲도, 엉망이 된 폐건물들도 보이지 않았다. 그저 푸르른 하늘과 차가운 공기만이 있을 뿐이었다.

"질문. 당신의 이름은 무엇입니까?"

멍하니 풍경을 바라보고 있으니 이브가 내게 질문을 건네왔다.

"이름?"

"네. 인간은 서로 이름으로 부른다고 했습니다. 저는 당신을 무엇이라고 불러야 합니까?"

이름이라. 생각해 본 적 없었다. 생각할 필요도, 계기도 없었으니 당연하였다. 로봇도 있는 이름이 인간인 내게는 없다니. 생각해보면 이상한 일이었다. 하지만 없는 걸 있다고 할 수도 없고, 지금이라도 만들어야 하는 건가. 쉽게 대답하지 못하고 끙끙대고 있자 이브가 나를 향해 고개를 돌렸다.

"혹시 이름이 없는 겁니까?"

"응."

이브는 그런 나를 이상하다는 듯 빤히 쳐다봤다. 그리고 잠시 생각에 빠졌다가 다시 내게 말을 걸었다.

"그럼 제가 지어드릴까요?"

의외의 말이었다. 하지만 싫지는 않았다. 애초에 이름이란 것에 미련이나 바람 같은 건 없으니 어떤 것이든 별 상관없었다. 이브의 제안에 나는 고개를 끄덕였다.

"아담. 어떤가요?"

"아담? 그게 이름이야?"

"네. 성경, 신화 속에 등장하는 최초의 인간이자 남성입니다. 당신은 제가 처음 만난 인간이고 남성인 것 같으니 아담이란 이름을 떠올렸습니다."

아담, 아담이라. 좋은 울림이었다. 신을 믿진 않지만, 신화 속 이름이라면 좋은 의미가 있을 것 같았다. 발음도 쉬운 좋은 이름이었다. 나는 내 결정을 기다리는 이브를 향해 고개를 끄덕였다.

"좋은 이름이야. 그럼 앞으로 나를 아담이라고 불러줘."

"알겠습니다. 앞으로 잘 부탁드립니다. 아담."

이브는 "아담, 아담." 거리며 자신이 지은 이름을 되뇌었다.

그렇게 이브와 햇볕을 쬐던 중 문득 의문이 생겼다.

"저기, 이브. 너는 왜 인간이 되고 싶은 거야?"

로봇은 인간에 의해 만들어지고 설계된 존재였다. 그런 로봇이 어떻게, 왜 인간이 되고 싶다는 말을 했을까? 나는 그 이유가 궁금했다. 내 질문을 들은 이브는 잠시 침묵하더니, 멍하니 하늘에 시선을 고정한 채 입을 열었다.

"제게는 도서관에서 눈을 뜨기 이전의 기억이 없습니다. 절 만든 인간이 보안을 이유로 모두 지운 것입니다."

이브의 얼굴은 다시 차갑게 굳어 있었다. 무표정 속에서 담담히 말을 이어가는 모습은 로봇인데도 불구하고 어딘가 쓸쓸함이 느껴졌다.

"하지만 마지막 명령은 제 기억 속에 남아있습니다. 분명 '살아남아.' 라는 말이었죠. 저는 그 명령을 충실히 따라 무너져 가는 건물 속에서 도망쳤습니다. 그리고 다시 정신을 차렸을 때는 도서관 안에 있었죠."

눈을 내리깔고 고개를 숙인 이브는 잠시 말을 쉬었다가 나를 향해 고개를 들었다. 밝은 햇빛에 그녀의 눈이 비쳤지만 새까맣게 물든 차가운 눈은 전혀 빛나지 않았다. 이브는 자신의 어두운 눈으로 내 눈을 바라보고 있었다.

"어째서 저를 만든 인간은 제게 살려달라고 명령하지 않은 걸까요. 제가 아는 인간과 로봇은 사용자와 도구의 관계입니다. 어째서 그는 제가 '살아남아.'라고 말한 걸까요. 그 명령의 의미를 이해하지 못한다면 저는 명령을 제대로 수행하지 못하는 것입니다. 그렇기에 저는 인간이 돼서 '살아남아.'라는 말의 의미를 알고 싶습니다."

나는 이브의 말을 듣고 아무런 위로도 변명도 할 수 없었다. 이브와 나는 공통된 목적이 있었다. '살아남아.'라는 명령과 '살아달라.'는 부탁의 의미를 찾고 있었다. 이래서야 이브에게 인간에 대해 알려줄 자신이 없었다. 나는 아무 말도 하지 못하고 고개를 숙였다. 내리쬐는 햇볕에 머리가 뜨거워지는 만큼 차가운 겨울바람이 얼굴을 식혀주길 바랄 뿐이었다.

"그럼. 충전하는데 방해되는 것 같으니까, 이만 가볼게."

시간이 지나고 해가 머리 위에 걸렸을 때쯤 나는 몸을 일으켰다. 이브는 내 옷깃을 잡고 슬며시 같이 일어났다.

"괜찮습니다. 마침 충전이 다 됐으니 같이 가도록 하죠."

나와 이브는 옥상에서 내려와 건물 밖으로 빠져나왔다. 이브와 대화를 나눈 결과 거처를 옮기기로 했다. 이브에게 인간에 대해 알려주고 나는 여러 지식을 가르침 받아야 했다. 그러니 겨울 동안 지낼 집이 필요했다. 그나마 다행인 건 저번에 봐놨던 집이 있다는 점이었다. 나는 이브와 함께 샛길로 빠져나갔다. 폐빌딩과 그리 멀리 떨어지지 않은 공터 가운데에 작은 집이 있었다. 회색빛이 나는 다른 건물과 비슷한 생김새의 집이지만 크게 망가지지 않고 크기도 적당한 곳이었다.

"확인. 위험 요인도 없고 튼튼한 구조의 집입니다. 이 정도라면 거처로 삼기 적절합니다."

이브는 집의 이곳저곳을 둘러보다가 고개를 끄덕이며 입을 열었다. 이브의 확인도 받았으니 이 집을 본격적인 거처로 사용하기로 했다. 우선 집 내부를 정리하기 시작했다. 숲속에 있어서 집 안은 녹음으로 가득했고 곳곳에 잔해 조각도 즐비했다. 하지만 작은 크기의 집이라 이브와 함께 정리하니 해가 지기 전에 정리를 마칠 수 있었다.

"이 정도면 충분한가."

"긍정. 완벽한 청소는 아니지만, 충분히 생활할 수 있을 정도의 수준입니다."

나와 이브는 거실 테이블을 가운데에 두고 마주 앉았다. 도시에서 멀리 떨어져 있던 덕분인지 쓸만한 가구들이 남아있었다. 지금 앉아있는 의자나 눈앞의 테이블도 그런 것이었다. 물론 돌같이 딱딱한 것이지만 없는 것보다는 나았다. 한숨 돌리는 사이 배에서 시끄러운 소리가 들려왔다. 그리고 강렬한 공복감이 나를 덮쳤다. 생각해보니 식사를 한 지도 오래됐다. 슬슬 무언가를 먹어야 할 텐데. 하지만 통조림도 다 떨어졌고, 주변에 먹을 걸 찾는 것도 힘드니 곤란한 상황이었다.

"이 소리는 배가 고프다는 의미인가요. 알겠습니다."

"이브? 어디 가는 거야?"

이브는 "음식을 구해오겠습니다."라는 영문모를 소리와 함께 집을 나갔다. 나는 쫓아갈까 고민했지만, 배가 고프기도 했고 이브가 뭘 가져 올지 궁금하기에 기다리기로 했다.

"다녀왔습니다."

얼마 지나지 않아서 이브가 돌아왔다. 예상보다 이른 귀가였다. 이브는 두 손 가득 버섯을 들고 왔다. 먹을 걸 찾아온다는 게 버섯을 말하는 거였구나. 하지만 버섯이라. 그다지 손이 가지 않는 식재료였다.

"그건 버섯이야? 먹어도 되는 거야?"

내 질문에 이브는 고개를 끄덕였다.

"긍정. '세계버섯 도감'에 근거한 식용 가능한 버섯들입니다. 간편한 조리 후 섭취하시면 됩니다."

지금껏 버섯을 먹는 걸 꺼려왔던 것은 예전에 버섯을 먹고 배탈이 났던 기억 때문이었다. 그때는 정말 죽을 뻔했었지. 하지만 이브가 보장하는 것이라면 믿을 만했다. 로봇만큼 정확한 건 없었으니까.

"고마워. 잘 먹을게."

나는 감사 인사와 함께 이브에게서 버섯을 받고 곧바로 부엌으로 향했다. 그리고 팔짱을 낀 채 고민에 빠졌다. 이브가 말한 '간편한 조리'라는 것은 무엇일까. 그냥 불에 구우면 되는 건가? 항상 통조림만 먹어서 그런지 요리는 오랜만이었다.

"질문. 요리를 못하시는 건가요?"

서툴게 버섯을 나무 꼬치에 끼우고 있으니 조용히 나를 뒤따라온 이브가 말을 걸었다.

"아니, 뭐…. 그런 편이지."

이브는 잠시 나를 바라보다 내 손에서 버섯 꼬치를 낚아챘다.

"이브?"

그리고 버섯을 꼬치에서 분리하고 어디서 가져온 지 모를 물그릇에 버섯을 씻기 시작했다.

"명령. 요리는 제가 할 테니 아담은 거실에서 기다리세요."

명령이라니. 너는 요리에 손도 대지 말라는 뜻인가. 말이 심한 것 같지만 딱히 틀린 말도 아니기에 나는 조용히 거실로 돌아갔다. 괜히 요리를 망쳤다가 이브가 따온 버섯을 버릴 수는 없었다.

"오래 기다리셨습니다."

얌전히 식사를 기다리고 있으니 얼마 지나지 않아서 이브가 음식을 들고 왔다. 어디서 찾아온 건지 매끈하고 예쁜 돌 판 위에 버섯과 풀 같은 게 함께 구워져 있었다.

"설명. 버섯과 함께 주변에서 찾은 향신료를 볶은 음식입니다."

노릇하게 구워진 버섯은 연기와 함께 고소한 냄새를 풍기고 있었다. 나는 식욕을 자극하는 향기에 침을 삼키며 버섯 한 조각을 입에 넣었다.

"음. 맛있다!"

촉촉하고 고소한 버섯과 향긋한 향신료의 조화가 입안에 부드럽게 퍼졌다. 통조림 음식과 비교해도 훌륭한 수준이었다. 한 입, 두 입 먹다 보니 어느새 돌그릇은 텅 비어 있었다.

"마음에 드셨다면 다행입니다."

이브는 여전히 무표정한 얼굴로 말했다. 딱딱한 표정과 다정한 말투의 괴리감은 여전했다. 하지만 이렇게 식재료도 찾고 요리도 잘하는 모습을 보면 어쩌면 이브가 나보다 더 인간다울지 모른다는 생각이 들었다. 이런 주제에 인간이 되는 걸 돕는다니. 너무 무책임한 말을 했었던 것 같았다.

"왜 그러십니까? 기분이 안 좋아 보입니다."

내가 시무룩해져 있으니 이브가 이상하다는 듯이 나를 바라봤다. 또

괜한 걱정을 끼쳐버렸다.

"아무것도 아니야."

나의 적당한 얼버무림에 이브는 고개만 끄덕일 뿐 자세히 캐묻지는 않았다. 평소보다 약간 더 어색한 침묵이 지나갈 때쯤 밖을 보니 해가 저물어 가고 있는 것이 보였다.

"그럼. 슬슬 가볼까."

나는 이브를 이끌고 집 밖으로 나왔다. 그리고 이제는 '이전 집'이 되어 버린 폐빌딩으로 향했다.

다 무너져 가는 천장과 구멍이 숭숭 뚫린 벽, 차가운 바닥. 생각해 보면 겨울은 물론이고 다른 계절에도 살기 힘든 곳이었다. 다시 올 일은 없겠지만 그래서 지금 이 계단을 오르고 있었다. 이곳에는 나름대로 정도 있고 내게 많은 영향을 준 곳이기 때문에 제대로 작별을 하고 싶었다.

"이해. 아담이 이곳에 온 이유를 이해했습니다. 하지만 어째서 저까지 데리고 온 건가요?"

이브는 내 설명을 듣고 고개를 끄덕였지만, 곧 끄덕이던 고개를 갸웃거리며 물었다. 어찌 보면 이건 내 개인적인 일이었다. 스쳐 지나가듯이 이곳에서 하룻밤을 보낸 게 다인 이브에게는 타당한 의문이었다.

"천천히 설명해 줄 테니까 일단 따라와 봐."

나도 아무 이유 없이 이브를 데려온 게 아니었다. 하지만 지금 그걸 설명하기보다는 일단 눈으로 직접 경험해 보는 것이 더 빠를 것이었다. 나는 아직 의문이 풀리지 않은 탓인지 여전히 고개를 갸웃거리는 이브를 이끌고 옥상으로 향했다.

한밤에 오르는 빌딩 옥상은 쌀쌀했다. 본격적인 겨울의 시작을 알리듯이 나날이 추워지는 느낌이었다. 살갗을 스치는 차가운 바람에 몸을 떨며 하늘을 보고 옥상 바닥에 누웠다. 얼음 같은 옥상 바닥에서 온몸에 냉기가 퍼지고 머리가 찌릿거리는 감각이 느껴졌다.

"자. 이브도 누워봐."

나를 이상하게 바라보던 이브는 내 권유를 받고 차가운 바닥에 몸을 뉘었다. 혹시 추워할까 걱정했지만 역시나 괜한 걱정이었다. 이브는 아무 반응 없이 평소와 같은 무표정한 얼굴로 나를 따라서 하늘을 바라보고 있었다.

"이브. 이걸 보면 어떤 생각이 들어?"

나는 고개를 돌려 이브의 옆모습을 보며 물었다. 이브는 내 질문을 듣고 인상을 찡그리면서까지 하늘을 뚫어져라 바라봤지만, 쉽사리 대답하지 못했다.

"별이 반짝이고 있다는 것 말고는 잘 모르겠습니다."

"별…. 그래. 저 반짝이는 점은 별이라고 부르는 거구나."

이브는 고개를 끄덕이며 반짝이는 선을 가리키며 말했다.

"저것은 은하수입니다. 그리고 저 둥글고 커다란 것은 달이라고 부릅니다."

나는 이브의 설명을 들으며 줄곧 궁금해했던 것들의 정체를 알게 되었다. 내게 엄두도 내지 못할 지식이 이브에게는 당연한 것들이었다. 그렇기에 나는 내가 알려줄 수 있는 걸 알려줘야 했다.

"나는 저런 별들을 보면 머리가 맑아지더라. 그리고 위로를 받았어. 저 별바다를 바라보고 있으면 머릿속은 다양한 물음으로 가득 찼고 내가 가진 고민은 저편으로 사라졌어."

"위로…."

"내가 우울할 때마다 로봇은 하늘을 바라보라고 했어. 그러면 기분이 풀릴 거라고 했지. 예전에는 무슨 말인지 몰랐지만, 지금은 어쩐지 알 것 같아. 저 하염없이 많은 별을 멍하니 바라보니 싫은 생각을 전부 잊을 수 있었어. 아마 그게 위로 아닐까?"

이건 나도 경험한 지 얼마 되지 않은 이야기였다. 최근에서야 깨달은 것이다. 그렇지만 이 이야기야말로 내가 이브에게 알려줄 수 있는 유일한 것이었다.

줄곧 하늘을 바라보던 이브가 내 쪽으로 고개를 돌렸다.

"로봇, 말입니까? 그 로봇은 인간처럼 생각할 수 있는 겁니까?"

나는 이브의 질문에 고개를 저었다.

"아니. 하지만 믿을 만한 정보야. 그 로봇은 나의 부모님께 들은 이야기로 알려줬는걸. 즉, 인간에게 들은 정보나 마찬가지인 거지."

나는 부모님을 알지 못한다. 로봇의 말에 따르면 내가 태어나고 얼마 지나지 않아 죽었다고 했다. 하지만 로봇은 말했다. 내 부모님은 우울할 때는 밤하늘을 보면 괜찮아진다는 말을 했다고. 로봇은 그 감정을 이해했든 못 했든 부모님을 거쳐 나에게 감정에 대해 가르쳐주고 있던 것이다. 그래서 나는 로봇을 통해 인간이 무엇인지 알 수 있었다. 나에게 로봇은 인간과 다를 바 없었다. 그러니 이브도 인간이 될 수 있다고 생각했다.

"그 로봇은 아담의 가족인 겁니까?"

나는 이브의 질문에 대답하지 못했다. 머릿속이 새하얘졌다가 다시 새까매졌다. 가족. 로봇은 가족이었던 걸까. 나는 그것의 이름도 모르고 어떻게 왜 만들어졌는지 목적도 몰랐다. 로봇은 이브와 비교하면 평범한 로봇이었다. 차가운 금속으로 만들어져서 딱딱한 기계음의 목소리를 가진 로봇이었다. 그런데도 가족인 걸까. 나는 이브의 질문에 혼란스러워져서 애매한 답밖에 할 수 없었다.

"글쎄. 그걸 가족이라고 할 수 있을까."

"그럼. 그 로봇을 만날 수 있나요? 도움을 받을 수 있을지 모릅니다."

하지만 이 질문에는 확실히 답할 수 있었다.

"아니. 못 만나. 절대로."

나는 이브와 눈을 마주치며 대답했다. 이브는 내 눈 속에서 무엇을 본 것인지 고개를 끄덕일 뿐 아무 말도 하지 않았다.

"이브. 너는 산더미처럼 쌓여 있던 책을 전부 읽었다고 했지? 그런데도 자신이 인간이 아니라고 생각하는 거야?"

생각해보면 이상한 일이었다. 거대한 서고의 책을 모두 읽은 이브는 나와 비교조차 할 수 없을 정도의 지식을 가지고 있었다. 하지만 나는 인간이고 이브는 로봇이었다. 적어도 이브는 자신을 로봇이라고 여기고 있었다. 나는 인간으로서 빠진 부분을 지식을 통해 채울 수 있다고 생각했다. 하지만 방대한 지식을 가지고 있는 이브는 자신을 인간이라고 생각하지 않고 있다. 그건 어째서일까.

"네. 저는 제가 인간이라고 생각하지 않습니다."

이브는 내 질문에 고개를 끄덕이며 말을 이어갔다.

"많은 책을 읽었다고 해도 사전적인 지식을 얻었을 뿐입니다. 저는 그저 더 똑똑해진 로봇입니다."

똑똑해진 로봇. 어찌 보면 이브는 내게 이상적인 존재였다. 내가 갈망하던 그 무수한 지식을 갖추었으니까. 하지만 이브는 인간이 되지 못했다. 인간이 되고 싶지만, 방법을 모르기에 책 읽기를 선택한 것뿐이었다.

"저는 아담, 당신이 인간답다고 생각합니다. 이유는 모르겠지만, 그런 생각이 듭니다."

"인간답다고?"

오히려 이브가 나보다 더 나에 대해 잘 알고 있는 듯했다. 인간답다. 그 말의 의미는 무엇일까. 나는 딱히 내가 인간 같다고 생각하지 않는다. 비교 대상이 없어서 그럴지도 모르지. 그렇다면 이브는 나의 무엇을 보고 인간답다는 생각을 하게 된 걸까. 지식? 아니, 지식의 수준을 생각한다면 양적으로 보아도, 질적으로 보아도 이브가 나보다 훨씬 위에 있었다. 지식을 모두 얻었음에도 이브는 무언가 갈증을 느끼고 있었다. 이브와 나의 차이점. 내가 이브에게 없는 무언가를 가지고 있는 건가? 만약 그런 게 있다면 그건 분명 경험일 것이다. 내가 로봇에게 들은 이야기들, 밤하늘을 보고 느끼는 것들. 이런 건 사전적인 지식이 아닌 주관적인 경험이다. 이브가 나를 인간답다고 생각한 것은 이런 경험에 관한 이야기일 것이다.

"너와 나의 차이는 경험 아닐까?"

잠시 고민하던 나는 고개를 들고 이브를 바라봤다. 나는 지금껏 잘못 생각해온 걸지도 모른다. 지식을 쌓는 걸 내 목표로 삼았다. 하지만 그건 틀렸다. 세상을 알아도 나를 모른다면 의미가 없었다. 그런 식이면 평생 유언의 의미를 알 수 없을 것이다.

"경험, 말입니까?"

이브는 고개를 살짝 갸웃거리며 되물었다. 그리고 잠시 생각에 빠지더니 이내 고개를 끄덕였다.

"이해. 지하의 도서관에서 많은 시간을 보낸 저는 '경험'이 적습니다. 반면 아담 당신은 저와 비교할 수 없는 무수한 '경험'을 쌓았습니다. 그렇군요. 저와 당신의 차이는 '경험'이었군요."

그리고 잠시 침묵이 흐르고 구름이 점차 밝은 달빛을 가려갔다. 별빛에 비친 이브의 얼굴이 어두워지고 가라앉은 목소리가 들려왔다.

"그렇다면 저는 잘못 생각하고 있던 거군요. 책을 읽고 지식을 얻으면 인간이 될 수 있다고 생각했는데, 그게 아니었습니다. 아담. 역시 저는 인간이 될 수 없는 걸까요?"

이렇게 말하는 이브의 얼굴은 어딘가 시무룩해져 있는 것 같은 느낌이 들었다.

나와 다를 바 없는 외관에 따뜻한 손, 부드러운 머리칼, 종종 어색하지만 유창한 말솜씨까지. 이브는 겉으로 보면 나보다 더욱 인간 같기도 했다. 하지만 딱딱한 말투나 어색한 반응을 보면 어디까지나 고도로 발전된 로봇이라는 인식을 떨쳐낼 수 없었다. 그런데 지금은 아주약간이지만 이브가 인간 같다는 느낌이 들었다. 나는 그대로 잠시 더 이브를 바라보았다.

"이브. 나는 왜 태어난 걸까."

나는 어색해진 분위기에 새로운 화제를 꺼냈다. 그건 내 오랜, 그리고 궁극적인 질문이기도 했다. 이브는 고민하는 듯 잠시간 말이 없다가 하늘에서 별 하나가 떨어질 때쯤 천천히 입을 열었다.

"…무신론적 실존주의자 '장 폴 사르트르'에 따르면 실존이 본질에 앞섭니다. 즉, 아무런 목적도, 이유도 없는 것입니다."

아무런 목적도, 이유도 없이 태어난 삶. 어찌 보면 나와 가장 가까운 대답일지도 모르겠다. 내가 지금 삶의 목적과 이유를 찾지 못하는 건 처음부터 없었기 때문일지도 모르겠다. 하지만 이걸 인정해버리면 내게는 정말 아무것도 남지 않을 것 같았다. 그저 태어났기 때문에 살아가는, 지나가는 돌멩이와 다를 바 없었다. 그건 너무 쓸쓸한 결말이었다.

"이브는? 이브는 어떻게 생각해?"

결국, 이브의 대답은 책에서 읽은 사상가의 의견을 빌려온 것이었다. 그것도 좋지만 나는 이브의 생각을 듣고 싶었다. 책의 내용인 아닌 이브의 생각을 눈앞에서 직접 들어야 만족이 될 것 같았다.

"나의 생각…. 저는, 잘 모르겠습니다. 제 생각이 어떤 것인지 무엇이 정답인지 모르겠습니다."

이브는 눈을 감고 고민하다가 머뭇거리며 말했다. 눈을 내리깔고 침울한 표정을 지었다. 대게 무표정으로 일관하던 그녀에서 또다시 표정 변화가 일어났다. 나를 향해 살며시 고개를 돌린 이브가 조심스레 말을 꺼냈다.

"저는 하늘을 봐도 위로받지 못했습니다. 감정을 느끼지 못했습니다. 그런 경험을 경험하지 못했습니다. 아담, 제가 경험을 얻을 수 있을까요?"

이번에는 이브가 나에게 묻고 있었다. 평소보다 한층 더 낮은 톤으로 말하는 이브에게 희망을 불어넣어야 할지 위로를 건네야 할지 고민이 되었다. 하지만 이브의 빨려 들어갈 듯한 검은색 눈동자를 마주하니 어떤 말을 해야 할지 알 것 같았다. 여기서는 달콤한 가식이 아닌 담백한 진심을 전해야 할 것 같은 느낌이 들었다.

"글쎄. 나도 잘 모르겠어."

"……"

애초에 지식이니 경험이니 이런 것들에 대한 고민을 시작한 건 며칠밖에 되지 않았다. 아직 나도 경험이 무엇인지 정확하게 알지 못했다. 단지 그런 느낌이라고 어렴풋이 느낄 뿐이었다.

"그렇지만 같이 알아가면 되지 않을까?"

나는 내 말이 이해가 안 되는지 고개를 갸웃거리는 이브를 바라보며 싱긋 웃었다.

"다양한 지식을 가진 너는 내게 많은 걸 알려줄 수 있을 거야."

이브가 내게 세상을 알려주고 내가 이브에게 인간을 알려준다. 이건 처음부터 불평등한 것이었다. 이브는 내게 별과 달을 알려주고, 바람을 설명해주고, 요리를 알려주고, 내 이름을 지어줬다. 내가 알고 있는 인간에 대한 지식도 이브는 이미 알고 있을 것이다.

"하지만 나는 너에게 새로운 지식을 가르쳐줄 수 없어."

나의 얕은 지식으로는 오히려 이브의 발목을 잡을 것이다.

"그러니까 너에게 경험을 알려줄게. 경험에 대해 전문가는 아니지만, 개념을 알고 모르고의 차이는 크다고 생각해."

지식이 아닌 경험을 알려준다.

떳떳하게 무언가 알려줄 수 있는 처지는 아니었지만, 지식이 부족한 내가 이브에게 해줄 수 있는 건 이것뿐이었다.

이브가 내게 인간답다고 한 이유는 자신에게 없는 것. 즉, 내가 '경험'이라는 것을 알고 있으므로 그런 말을 한 것이다. 이런 나도 인간이다. 분명 이브도 경험을 쌓으면 나보다 더욱 인간답게 될 수 있을 것이다.

"애초에 나와 너는 다르지 않아. 나도 너처럼 '살아달라.'는 말의 의미를 알고 싶을 뿐이니까. 살아있는 나도 '살아달라'는 말을 모르는 걸 보면 로봇인 네가 '살아남아'라는 말을 이해하지 못하는 건 당연한 일이야."

"그런가요?"

나는 고개를 돌린 이브를 향해 힘차게 고개를 끄덕였다.

"그러니까 함께 경험을 쌓다 보면 우린 인간이 될 수 있을 거야."

"인간이 되는 건가요?"

"그래. 분명 언젠가는 자신이 인간이라는 생각이 드는 날이 올 거야."

이게 바로 인간으로서 반편이인 내가 눈앞의 로봇에게 해줄 수 있는 최선의 말이었다. 내가 생각해도 두서없고 말도 안 되는 겉멋 가득한 말뿐이었지만, 조금이라도 이브에게 도움이 됐으면 좋겠다.

"……"

무언가 고민에 빠진 듯 가라앉은 이브의 눈 속에서 별이 떨어지고 있었다. 하나둘 떨어지는 별들은 이윽고, 마치 비가 내리듯이 하얀 곡선을 그리며 하늘을 가득 메워갔다. 무척이나 웅장하고 아름다운 광경에 가슴이 벅차올랐다.

"저것 봐, 이브!"

나는 이브의 어깨를 톡톡 치며 쏟아지는 별빛을 가리켰다. 이브가 내 손짓에 따라 하늘을 바라보자 방금보다 더욱 많은 양의 별들이 하늘을 가르기 시작했다. 무수한 별빛 덕분에 어두운 겨울밤도 낮같이 훤했다.

"이건 유성우군요."

이브는 원래 같으면 곧바로 이 현상에 관해 설명했을 테지만 그러지 않았다. 대신 나와 같이 멍하니 입을 벌린 채 이 숭고하고 신비한 광경을 눈에 새길 뿐이었다. 그 모습에 나도 모르게 웃음이 새어 나왔다. 그게 유성우가 아름답기 때문인지 이브의 모습이 재밌어서인지는 모르겠다. 어쨌든 지금 상황에 웃음을 참을 수가 없었다.

"아하하! 어때? 이브."

"네. 무척 아름답습니다."

나는 나에게 고개를 돌린 이브의 얼굴을 보고 그대로 굳어버렸다. 그녀는 별들 때문인지 반짝이는 눈으로 희미하게 입꼬리를 올리고 있었다. 자세히 보면 알아차리지 못할 만큼 희미했지만 그건 분명 웃음이었다. 이것이 처음으로 본 이브의 웃는 표정이었다. 그 모습을 보니 강렬한 느낌이 들었다. 이브는 분명 많은 경험을 쌓고 인간이 될 수 있다고. 이유를 설명할 수 없었지만 그런 확신이 들었다. 이브와 나는 별들이 하늘을 모두 지나갈 때까지 닿지 못할 별의 흔적을 눈으로 좇으며 하늘을 바라보았다.

빌딩에서 유성우를 보고 난 후 나와 이브는 여러 대화를 나누었다. 내가 세상에 대해 알고 싶은 이유, 죽으려는 이유 등을 말했다. 이브는 말했다. 자신이 인간이 되려는 이유는 명령을 지키기 위해서뿐만 아니라, 자신이 만들어진 이유와 목적을 알기 위함이기도 하다고 말했다. 우리의 목표는 비슷하면서도 미묘하게 달랐다. 나는 죽기 위해 삶의 목적을 탐구하고 있었고 이브는 인간으로 살기 위해 삶의 목적을 찾고 있었다. 결론은 다르지만, 그 과정은 닮았다. 그래서 우리는 같은 집에서 생활해 보기로 했다. 같이 있다면 더 많은 걸 경험할 수 있고 이브 또한 나에게 더 많은 걸 가르쳐 줄 수 있을 것이다.

"자. 방금 따온 버섯이랑 향신료야."
겨울이 지나고 다시 봄이 찾아왔다. 겨울 동안 우리는 같은 집에서 지내면서 서로를 알아가며 더욱 친해질 수 있었다. 특히 이브는 이제 자연스러운 말투로 나를 대했다. 로봇 특유의 딱딱한 말투나 존댓말을 쓰지 않게 되었다. 물론, 한 번씩 말 앞에 '설명', '긍정' 등의 단어를 붙이는 어투도 바뀌었다. 애초에 그건 인간다운 '개성'을 만드는 데 사용한 방법이었다고 한다. 책만 읽어왔기에 별다른 문제를 느끼지 못했던 모양이다.
"고마워. 이브."
나는 이브에게서 식재료를 받고 주방으로 향했다. 처음에는 서툴렀던 요리도 이브의 가르침을 받고 훨씬 좋아졌다. 잘한다고 할 수는 없었지만 먹을만한 결과물을 만들 수 있었다. 나는 저번에 구해온 통조림에서 고깃조각을 꺼냈다. 예전에는 콩밖에 없었는데, 역시 폐건물 구조를 훤히 아는 이브가 있으니 이런 고기 통조림도 쉽게 구할 수 있었다. 버섯과 함께 볶았다. 그리고 요리가 완성되자 이브와 함께 거실에서 식사를 시작했다. 본래 이브는 태양열 에너지만 있으면 충분하기에 음식을 먹을 필요가 없었다. 하지만 같이 식사를 하는 것도 좋은 경험이라는 생각이 든 이후로는 함께 밥을 먹고 있다. 로봇이 음식을 먹으면 고장이라도 나는 게 아닌지 걱정했지만, 이브의 말에 따르면 비효율적일 뿐 음식으로도 에너지 보충이 가능하다고 했다. 즉, 먹어도 먹지 않아도 문제없다는 뜻이었다. 그렇게 오늘도 서로와 마주 앉아서 식사를 이어갔다.

식사가 끝나고 나면 이브의 교육시간이 시작됐다. 이브는 나에게 다양한 것을 알려주었다. 글자나 산수 같은 기초적인 학문부터 여러 운동법이나 실뜨기 등 실용적인 활동까지 넓은 분야의 지식을 알려주었다. 그녀의 수업은 재밌었다. 로봇인 만큼 정확한 정보에 부드러운 말투로 가르쳐 주니 즐기며 공부할 수 있었다. 이브는 종종 내가 어려운 공부를 하며 끙끙대는 모습을 보고 웃음을 지었다. 이전에 차가운 기계 같은 표정만을 고수하던 이브의 모습을 떠올리면 좋은 현상이었다. 나도 그녀가 웃는 모습이 보기 좋았다. 만약 수업이 없는 날이라면 나는 이브와 다양한 경험을 하기 위해 노력했다. 집을 떠나 특별한 곳을 보러 갔다. 깊은 동굴이나 높은 폭포 등 흔히 접할 수 없는 다양한 장소를 찾아다녔다. 처음에는 별 반응이 없었지만 새로운 장소를 마주할수록 이브의 표정 변화도 점차 늘어났다. 아직 유성우를 봤을 때처럼 격한 반응을 보이진 않았지만 언젠가 더 좋은 반응을 보일 거라고 믿고 있었다. 특히 저번에 발견한 꽃밭에 데려갔을 때는 눈과 코, 모두 즐겁다며 좋아해 주었다. 이곳에 꽃은 흔하지 않기 때문에 어렵게 찾은 보람이 있었다. 이렇게 한둘씩 경험이 쌓이다 보면 이브가 느끼는 감정의 폭도 넓어질 것이었다.

원래대로라면 식사를 마치고 식량을 구하러 가거나 이브와 나들이를 갈 예정이었다. 하지만 오늘은 따로 갈 곳이 있었다. 이건 내 개인적인 일이기에 혼자서 가도 됐지만 나는 이브와 함께 걸음을 옮겼다. 최대한 많은 경험을 시켜주기 위해서는 되도록 같이 다니는 게 좋았기 때문이었다. 한참을 걸어서 다리가 아파질 때쯤 목적지에 도착할 수 있었다.

"그럼 소개할게. 여기가 내 옛날 집이야."

"옛날 집? 여기가?"

목적지에 도착한 이브는 내 소개를 듣고 고개를 갸웃거렸다. 그녀가 이런 반응을 보이는 것도 이상하지 않았다. '집'이라고 소개했지만, 이곳은 집이 아니었다. '집이었던 것'이 더 잘 어울리겠지. 아니면 집터라고 해도 좋겠다. 어쨌든 '집'이라는 건 내 기억 속의 모습일 뿐이었다. 지금 보는 것은 집이 아닌 산산조각으로 무너져버린 잔해더미들이었다. 내가 살았던 이 집은 어린 시절에 갑작스럽게 무너져 내렸다. 나는 겨우 몸만 무사히 집에서 빠져나올 수 있었다. 이렇게 뼈대도 안남을 만큼 심한 붕괴 속에서 목숨을 건진 게 기적이라고 생각한다.

"오늘은 여기서 쓸 만한 게 없나 찾아보려고 온 거야."

어렸을 적의 기억이라 잘 떠오르지 않았지만, 혹시 유용한 무언가가 남아있을지도 몰랐다. 그동안 트라우마 때문인지 이곳에 오기 꺼려졌다. 그래서 조금 괜찮아졌을 때 다시 이곳에 와보고 싶었다.

"나도 도와줄게."

곁에 있던 이브가 선뜻 도움의 손길을 내밀었다. 고성능 로봇인 이브는 나와는 비교도 안 될 만큼 유용했기에 고마울 따름이었다. 나는 고개를 끄덕이고 구역을 나누어 조사를 시작했다.

해가 뉘엿뉘엿 저물어 가고 하늘이 오랜지 빛을 띠울 무렵, 나는 내가 맡은 구역의 조사를 끝낼 수 있었다. 별 기대를 하고 오지 않았지만 얻은 건 있었다.

"어린 왕자."

나는 바닥에서 발견한 책의 제목을 소리 내어 읽어봤다. 이브의 가르침 덕분에 이제 글자도 읽을 수 있게 되었다. 나는 적당히 책을 훑어보며 이브의 구역으로 갔다. 이브는 잔해더미 구석에서 바닥을 바라보고 멍하니 서 있었다.

"이브. 뭐 하고 있어?"

나는 불러도 대답하지 않는 이브에게 다가갔다.

"대체 뭘 그렇게 보고 있는 거야?"

이브는 내가 다가오자 잔해더미 속에서 무언가를 꺼내어 들어 올렸다.

"아담. 이건 로봇이지?"

이브가 내게 보인 것은 로봇의 머리 부분이었다. 이브와 같이 인간과 닮은 머리가 아닌, 길거리에 널린 흔한 로봇과 같이 빛바랜 회색의 둥근 머리였다. 그리고 깨진 검은 얼굴 부분 사이에는 녹음이 무성했다. 하지만 나에겐 흔한 로봇이 아니었다. 내게 저주와 같은 유언을 남긴, 어린 시절 나를 보살펴 주고 키워준 부모와 같은 로봇이었다.

내가 이 집터에 돌아오길 꺼렸던 것은 저 로봇을 다시 마주할 용기가 없다는 이유도 있었다. 집이 무너져 갈 때 아직 어려서 당황하고 두려움에 떨고 있던 나를 구해준 건 저 로봇이었다. 자신이 잔해에 깔려가는 걸 아랑곳하지 않고 최선을 다해 나를 집 밖으로 탈출시켜 주었다. 정신을 차렸을 때는 집도 로봇도 모두 잔해에 파묻혀 있었다. 나와 평생을 함께 있어 주었던 무언가가 사라졌을 때의 기분을, 나는 견딜 수 없었다. 그래서 최대한 먼 곳으로 가서 모두 잊어버리기를 원했다. 다시 돌아와서 망가진 집과 로봇을 볼 용기가 없었다.

"아담. 괜찮아?"

내 설명을 들은 이브가 걱정스러운 얼굴로 나를 보았다. 항상 차가운 표정밖에 없던 그녀는 어느새 이런 표정도 지을 수 있게 되었다. 나는 괜한 미소를 지으며 괜찮다고 대답했다. 가슴이 아리는 듯한 느낌이 들었지만 견디지 못할 정도는 아니었다. 지금은 로봇에게 고마울 따름이었다. 그가 알려준 생존 방식 덕분에 이렇게 살아있을 수 있었으니까. 이브는 내 얼굴을 빤히 바라보다가 덥석 나를 끌어안았다.

"괜찮아. 괜찮아."

그녀는 나의 머리를 쓰다듬으며 '괜찮아.'라는 말을 반복했다.

"이브?"

"책에서 봤어. 누군가를 위로해 줄 때는 이렇게 하라고."

짧은 설명을 마치고 이브는 다시 '괜찮아.'라는 말을 반복하며 나를 꼭 끌어안았다. 이브에게 위로받는 건 상상도 못 한 일이었다. 무작정 끌어안고 머리를 쓰다듬는 게 위로라니. 조금 의구심이 들었지만 당하는 처지로서 기분이 나쁘지 않으니 틀린 위로는 아닌 것 같았다. 이브의 따뜻한 체온이 나를 감쌌고 부드러운 손길이 머리에 닿았다. 방금까지 아리던 가슴도, 침울했던 기분도 조금 나아진 것 같았다. 나는 잠시 이브에게 몸을 맡기고 그녀의 위로를 받았다.

"이거. 여기서 발견한 거야."

어느 정도 마음을 추스르자 이브가 내게 무언가를 건넸다.

"이건?"

"내장 칩. 아마 그 로봇과 관련된 물품일 거야."

나는 손에 놓인 작은 칩을 가만히 바라보다가 다시 이브의 손에 쥐여 주었다.

"이건 너한테 맡길게. 내가 가지고 있어도 할 수 있는 게 없으니까."

"알겠어. 내가 조사해 볼게."

이브는 고개를 끄덕이고 칩을 자신의 목에 가져갔다. 그러자 목에 손가락 한 마디 만한 구멍이 생겼다. 이브는 그곳에 칩을 넣고 눈을 감았다 떼었다.

"음. 손상이 심하네. 아마 내일이면 대략 어떤 건지 알 수 있을 거야."

"고마워."

오랜만에 보는 이브의 로봇적인 면모였다. 그러고 보니 최근 이브의 로봇적인 모습보다 인간적인 모습이 더욱 눈에 띄고 있다. 나도 가끔 이브가 로봇이란 걸 잊어버릴 때가 있을 정도였다. 그런데 칩이라니. 대체 무엇에 관한 걸까? 약간의 설렘과 호기심을 품고 나와 이브는 해가 지기 전에 서둘러 집으로 돌아갔다.

　무사히 집으로 귀환하고 다음 날. 나는 아침 식사를 마치고 어제 발견한 책을 읽고 있었다.

"무슨 책 읽어?"

그런 나를 보고 이브가 물었다.

"어린 왕자. 어제 폐허에서 발견한 책이야. 나는 다 읽었는데, 한 번 읽어 볼래?"

이브는 고개를 끄덕이고 책을 가져갔다. 그리고 빠르게 페이지를 넘기더니 몇 분 지나지 않아서 책을 덮고 다시 내게 넘겼다.

"다 읽었어."

"벌써 다 읽었다고?"

이브는 놀라는 나를 향해 당연하다는 듯이 고개를 끄덕였다. 역시 로봇이라는 건가. 한 번 훑어보기만 해도 다 읽을 수 있는 거구나. 확실히 이 정도 속도라면 그 커다란 서고의 책들을 모두 읽었다는 것도 믿을 수 있었다.

"우리랑 비슷한걸."

이브는 내 맞은편 의자에 앉으며 말을 이어갔다.

"나는 무수히 많은 로봇 중 하나인데 너와 만나고 특별해졌어. 네가 나를 길들인 게 아닐까?"

길들이다. 이 단어는 어쩐지 마음에 들지 않았다. 하지만 이 책에 나온 내용을 생각해보면 그럴지도 모르겠다. 그녀는 나의 하나뿐인 장미이자 로봇이었다. 어쩌면 우리는 서로가 서로를 길들인 것일지도 모르겠다.

"어제 발견한 칩. 조사 끝났어. 노래 파일이더라."

이브는 내 손 위에 칩을 놓으며 말했다. 어제 발견한 칩에 관한 이야기였다.

"노래?"

뜬금없이 나온 노래라는 단어에 고개를 갸웃거렸다. 딱히 엄청난 걸 기대한 건 아니었지만 노래라니. 살짝 맥이 빠지는 결과였다. 한편 이브는 손상이 심해서 칩에 담긴 노래를 듣는 건 힘들 것이라는 말을 남겼다. 노래라면 들어도 그만, 안 들어도 그만인 것이기에 나도 신경 쓰지 말라는 말로 이야기를 마쳤다. 이후 나는 먹을 걸 찾기 위해 주변 숲으로 걸음을 옮겼다. 사실 어제 늦게까지 먼 거리를 걸은 만큼 집에서 느긋하게 쉬고 싶었지만, 이브의 등쌀 때문에 어쩔 수 없었다. 최근 집에 부실한 부분이 보여서 보수작업을 한다는 모양이다. 나도 도와주겠다고 말하니 오히려 방해된다며 내쫓아 버렸다. 침울해진 나는 조용히 숲을 걷기로 했다.

"어라? 이건 산푸른버섯?"

산책하던 중 쓰러진 나무 그루 아래에서 점박이 무늬의 푸른색 버섯을 발견했다. 직접 따서 이리저리 확인해 보니 역시 산푸른버섯이 맞았다. 지난번에 이브에게 요리에 이어서 배운 식용 가능 버섯의 종류를 배운 게 떠올랐다. 분명 향긋한 향과 쫄깃한 식감의 고품질 버섯이라고 했었지. 희귀한 버섯인 만큼 직접 보는 건 처음이었다. 반쯤 강제로 나온 산책에서 이런 좋은 물건을 발견하다니. 나는 운이 좋았다는 생각과 함께 조심스럽게 버섯을 채집했다. 이후에도 주위를 둘러보며 적당히 시간을 보내다가 저녁쯤에 다시 집으로 돌아갔다.

"작업은 다 끝났어?"

집에 들어가니 이브가 거실에 앉아있었다.

"아니. 재료가 부족해서 일단 상태 확인만 했어. 내일부터 본격적으로 보수작업을 시작해야겠어."

"그래? 내일은 나도 도울게."

직접 작업에 참여하는 건 몰라도 재료 수급에는 나도 쓸모가 있을 것이다. 나는 고개를 끄덕이는 이브의 모습을 확인하고 부엌으로 들어갔다. 내가 요리를 배운 이후로는 우리는 번갈아 가면서 요리를 준비했다. 오늘은 내 차례기도 하고 마침 좋은 재료를 찾았으니 한 번 열심히 만들어 봐야겠다.

　"어때? 오늘은 좋은 재료로 만들어 봤는데."

이브는 내가 만든 버섯 요리를 한 입 먹더니 조용히 고개를 저었다.

"알잖아. 나한테는 다 거기서 거기야. 나한테 미각을 느끼는 기능은 없거든."

"그래. 그냥 물어본 거야."

이브의 말대로 그녀는 미각을 느끼는 기능이 없으므로 무엇을 먹든 맛을 느끼지 못했다. 알고 있었지만 역시 반응이 없으니 재미가 없었다. 나는 괜히 맛있는 버섯을 낭비했다는 생각과 함께 산푸른버섯을 한 입 먹었다.

"으악! 이게 뭐야? 엄청 맛없잖아!"

버섯을 한 입 깨물자마자 강렬한 쓴맛이 퍼지고 반사적으로 혀가 음식을 밀어냈다. 이게 산푸른버섯이라고? 향긋한 향과 쫄깃한 식감이 일품인 그 버섯? 도저히 믿을 수가 없었다. 내 반응을 보고 이브도 이상함을 느꼈는지 버섯을 자세히 살펴보았다.

"이건…. 산푸른버섯이 아니라 푸른광대버섯이잖아!"

"어? 푸른광대버섯?"

"그래. 푸른광대버섯은 산푸른버섯과 유사하지만 여기 점박이의 무늬가 달라. 푸른광대버섯은 이렇게 세모난 모양이지만 산푸른버섯은 동그란 모양이야."

나는 황급히 버섯을 집어 들어 무늬를 살펴보았다. 정말 세모 모양의 무늬였다. 그렇다면 내가 먹은 버섯은 푸른광대버섯이라는 건가?

"푸른광대버섯은 분명….."

"극심한 수면 작용이야."

이브는 태연하게 버섯 요리를 먹으며 말했다. 하긴 로봇한테는 수면 작용쯤은 통하지 않겠지.

"깊게 잠드는 거 말고는 큰 문제는 없겠지만 혹시 모르니까 더 먹지는 마. 남은 건 아까우니까 내가 먹을게."

"그래."

아무리 나라도 독버섯을 먹을 배짱은 없었다. 나는 고개를 끄덕이며 그릇을 이브 쪽으로 넘겼다. 남은 음식이 아깝다며 먹는 것과 독버섯을 아무렇지 않게 먹는 건 오직 이브만이 할 행동일 것이다. 이런 걸 보면 이브가 인간적인 건지 로봇적인 건지 헷갈린다.

나는 물끄러미 이브를 바라보다가 빨리 자라는 그녀의 권유를 듣고 약간 찝찝한 기분과 함께 일찍 잠자리에 들었다.

이브의 하루는 길었다. 에너지는 낮에 충분히 얻을 수 있었고 한 번 충전하면 몇십 년은 충전 없이 움직일 수 있었다. 심지어 절전 모드를 활용하면 백 년이 넘는 시간 동안 작동할 수 있었다. 그래서 이브는 잠을 잘 필요가 없고 휴식 또한 필요가 없었다. 다만 인간인 아담의 생활에 맞추기 위해, 그리고 심심하므로 일부로 절전 모드를 이용해서 잠을 자거나 휴식을 취하는 것이었다. 오늘은 특히 아담이 바보 같은 실수를 해서 일찍 잠자리에 들었기에 이브 또한 잠을 청하려고 했다. 하지만 어쩐지 불안한 마음이 들었다. 이 불안함이 오늘 아침에 발견한 부실한 기둥 때문인지 아니면 독버섯을 먹어버린 아담 때문인지는 알지 못했다. 이브는 잠시 고민하다가 오늘은 자지 않기로 했다. 이브는 가볍게 밤 산책을 다녀오거나 새로운 요리를 연구하는 등으로 시간을 보냈다. 그런 이브가 이변을 느낀 것은 아담이 깊게 잠들어 있던 늦은 밤이었다. 이브는 묘한 떨림을 느꼈다. 그것은 자신의 몸에서 떨리는 것이 아닌, 좀 더 깊은 곳으로부터 올라오는 떨림이었다. 이상함을 느낀 이브는 아담의 침실로 가보았지만, 아담은 조용히 잠을 자고 있을 뿐이었다. 잘못 느낀 거로 치부하고 무시하려던 순간 더욱 강한 진동이 느껴졌다.

"이건…."

이건 명백한 떨림, 이상 현상이었다. 이브는 덜덜 떨리는 자신의 손을 멍하니 바라보았다. 그리고 급작스레 덮쳐오는 강렬한 떨림에 중심을 잃고 쓰러졌다.

"대체 무슨…!"

이브가 상황을 파악하기도 전에 사태는 점점 심각해졌다. 바닥과 천장, 기둥까지. 집안 곳곳에 금이 가기 시작하고 장식으로 모아놨던 잡동사니나 그릇들이 바닥에 떨어지기 시작했다. 쩌적 거리는 소리와 함께 천장에서 돌이 떨어지고 진동은 점점 거세졌다.

"이건 설마 지진? …아담!"

빠르게 상황을 파악한 이브는 곧바로 침실에서 자는 아담을 떠올렸다. 안 그래도 오늘 아침 침실 쪽 기둥이 부실한 걸 알아차린 참인데 하필 이런 일이 벌어졌다. 이브는 바로 아담이 있는 침실로 달려갔다. 중간중간 중심을 잃고 넘어지는 일도 있었지만, 로봇인 그녀에게는 아무런 문제가 되지 않았다. 서둘러 침실에 도착한 이브는 기둥과 침실은 무사하다는 것에 안심하고 아담의 상태를 확인했다.

"아담. 아담!"

불행 중 다행인 건 아담에게 눈에 띄는 상처가 없다는 점이었다. 하지만 독버섯의 영향 때문인지 이브가 어깨를 흔들고 뺨을 쳐도 일어날 기색이 없었다. 점점 균열과 진동이 커지고 있었다. 일 초라도 빨리 탈출해야 했다. 그 순간 커다란 소리와 함께 천장에서 커다란 돌조각이 아담을 향해 떨어졌다.

"안 돼!"

이브는 바로 몸을 날려 아담에게 떨어지는 돌을 막아냈다. 하지만 대신 돌에 맞은 탓에 그녀의 팔은 어깨부터 떨어져 나갔고 작은 스파크가 일며 전선이 돌출되었다. 초조해진 이브는 서둘러 멀쩡한 팔로 아담을 들쳐멨다. 창문으로 빠져나가기에 창문은 너무 높고 좁았다. 여기서는 어렵지만, 정문으로 탈출해야 했다. 이브는 흔들리는 바닥에서 필사적으로 중심을 잡으며 한 발짝씩 문을 향해 다가갔다. 로봇인 이브에게 아담은 그리 무겁지 않았지만, 체격 차이가 상당하기에 옮기는 속도가 느렸다. 겨우 문이 보일 때쯤 순간 강력한 진동이 이브를 덮쳤고 다시 그녀가 중심을 잡았을 때는 커다란 소리와 함께 잔해더미가 문 앞을 막고 있었다.

"젠장, 끄으으윽!!"

이브는 잠시 아담을 내려놓고 한쪽만 남은 팔로 온 힘을 다해 커다란 잔해를 옮기기 시작했다. 팔에서 뚜둑거리는 소리가 나는 걸 애써 무시하며 이브는 잔해를 옆으로 넘어뜨렸다. 겨우 문이 열리고 이브는 다시 아담을 업고 밖으로 탈출했다.

"으음…. 이브?"

겨우 바깥으로 빠져나온 이브가 안도의 한숨을 쉬려던 찰나 아담도 정신을 차렸다.

"이브! 이게 대체 무슨 일이야?"

"아담…. 다행이다. 무사했구나…."

이브는 힘겨운 듯 숨을 몰아쉬며 말을 이었다.

"지진이야. 빨리 건물이 없는 곳으로…."

"잠깐, 위험해!"

하늘을 쳐다본 아담이 이브의 말을 끊고 소리쳤다. 아직 그들은 완전히 안전구역에 들어온 게 아니었다. 기둥이 무너지기 시작한 집은 순식간에 붕괴하여 그대로 문 앞에 있던 아담과 이브를 덮쳤다.

"아담!"

"이브!"

서로를 부르는 외침은 낙석의 충격과 폭풍에 묻혔고 그대로 둘의 의식을 앗아갔다.

"으윽…."

어지러운 머리를 부여잡고 천천히 몸을 들어 올렸다. 다행히도 심각한 상처를 입은 것 같지는 않았다. 나는 의식을 잃기 직전의 기억을 떠올렸다. 분명 잔해가 나와 이브를 덮쳤고 그 순간 이브가 나를 밖으로 내던졌다. 그렇다면 이브는….

"이브, 이브!"

정신을 차린 나는 곧바로 잔해더미로 달려갔다. 찾아야 했다. 반드시 이브를 찾아야 했다. 나는 몇 번이나 이브의 이름을 외치며 잔해더미를 치우기 시작했다. 그렇게 잠시 뒤 잔해 속에서 소리가 들려왔다.

"…아담."

"이브!"

나는 이브의 목소리가 들리는 쪽의 잔해를 미친 듯이 파냈다. 손이 까지고 핏방울이 잔해를 칠할 때 드디어 이브의 얼굴이 보였다.

"이브! 다행이다. 무사했…."

이브의 얼굴을 보고 풀어진 얼굴이 그녀를 들어 올리는 순간 그대로 굳어버렸다. 이브는 가벼웠지만 이건 가볍다는 수준이 아니었다. 그리고 원래 나보다 작았지만, 이 정도로 작지 않았다.

"헤헤…. 무사했구나. 아담….

이렇게 실없이 웃는 이브의 모습은 처음 보았지만, 전혀 기뻐할 수 없었다. 이브의 몸은 어깨 아래로 사라진 상태였다. 엉망진창으로 잘린 절단면은 전선이 그대로 노출되어 스파크가 튀고 있었고 이브는 반쯤 풀린 동공으로 힘없이 웃고 있었다.

"이브…. 어째서….

어째서 이런 일이 일어났는가. 도저히 이해할 수 없었다. 뇌가 눈앞의 장면을 부정하고 있었고 생각이란 걸 하는 게 너무나 끔찍한 일이었다. 그런 와중에 세상이 뿌옇게 변하고 미지근한 액체가 뺨을 타고 흘러내렸다.

"어째서…. 어째서….

믿고 싶지 않았다. 보고 싶지 않았다. 그런데 봐버렸다. 생각해 버렸다. 나는 똑같은 방법으로 소중한 것을 떠나보내고 있었다. 이브가 나를 구하려 할 때 나는 뭘 하고 있었지? 그녀가 자신을 희생해서 나를 탈출시키려 할 때 나는 뭘 했지? 형편 좋게 자고 있었다. 멍청하게 이상한 독버섯을 처먹고, 그대로 속 편하게 자고 있었다. 내가 버섯을 주워오지만 않았어도, 내가 버섯을 먹지만 않았어도 이브가 이렇게 될 일은 없었다. 나 때문에. 그래, 나 때문에 이브가 이렇게 된 거야. 나는 대체….

"…담, 아담. 아담!"

"어?!"

이브의 외침에 나는 퍼뜩 정신을 차렸다.

"잘 들어, 아담. 이건 너 때문이 아니야."

"무슨 소리야? 내가 자고 있어서 이브가….

이브는 고개를 저으며 내 말을 끊었다.

"아니. 너 때문이 아니야. 아담. 이건 불행한 사고였을 뿐이야."

불행한 사고? 아니다. 이건 온전히 내 책임이었다.

"미안. 이브. 나 때문에….”

"괜찮아. 아담. …그러면 부탁 하나 들어줄래?"

물끄러미 나를 바라보던 이브가 내게 물었다.

"부탁? 무슨 부탁인데?"

이브는 잠시 눈을 감고 생각을 하다가 곧 다시 떴다. 그리고 이브의 시선은 나를 넘어 저 뒤를 바라보며 말했다.

"그 옥상에서 한 번 더 별을 보고 싶어.”

그 말을 들은 나는 곧바로 폐빌딩으로 달려갔다.

"저기, 아담.”

이브의 부탁으로 옥상에 누워 나란히 하늘을 별 하늘을 바라보고 있으니 이브가 내 쪽으로 고개를 돌리며 말했다.

"내게 사막 속 오아시스는 너였는지도 몰라.”

'사막이 아름다운 것은 그것이 어딘가에 오아시스를 감추고 있기 때문이다.' 전에 읽은 어린 왕자에 나오는 구절이었다. 나는 오아시스가 되었던 걸까.

"이브. 너는 외로웠던 거니?"

나는 밝게 빛나는 별을 바라보며 물었다. 이브는 잠시 침묵하더니 이내 입을 열었다.

"외로움…. 과거의 나였다면 절대 몰랐을 감정. 응, 나는 외로웠나 봐. 그래서 널 구한 거야. 널 잃으면 또 혼자가 되니까. 다시 외로워지기 싫으니까. 그건 죽는 것보다 싫어. …미안해.”

언젠가 이브는 말했다. 자신은 백 년의 세월을 깊고 어두운 서고에서 보냈다고. 덕분에 많은 정보를 얻을 수 있었다고 말했다. 그때의 나는 눈치채지 못했지만 지금 생각해보면 알겠다. 그녀는 분명 담담한 목소리 속에 쓸쓸한 표정을 감추고 있었다. 이브는 나를 만나기 전부터 외로움을 느끼고 있던 걸까. 그래서 이브는 내게 사과하고 있었다. 그녀가 없는 세상 속에서, 홀로 남겨질 나의 외로움에 대해 동정하고 있었다.

"아니야. 사과할 필요 없어. 너는 내게 충분히 많은 걸 줬어."

이브가 사라지고 난 후 세계는 어떨까. 잘 상상이 되지 않았다. 하지만 지금의 상황에 집중하고 싶었다. 아직 이브는 사라지지 않았으니까.

"고마워."

나는 고개를 돌려 이브를 바라봤다. 그녀의 눈동자는 언제나처럼 깊고 어둡게 빛나고 있었다.

"고맙다니. 그건 내가 해야 할 말인걸. 오히려 나는…"

이브는 내 말을 끊고 계속 말을 이어갔다.

"내 오아시스가 되어줘서 고마워, 나를 길들여줘서 고마워. 그러니까. 내게 사과하지 마."

이브는 고개를 저으며 단호한 표정과 어투로 말했다. 하지만 사과가 아니라면 나는 이브에게 할 말이 없었다. 감히 이브에게 감사를 전하는 것은 내게 과분한 일이었다. 이브는 내게 너무 많은 걸 줬다. 삶의 목적, 방향, 의지. 원래 죽기 위해 알고 싶었던 것들이 이브에게서 배우고 난 이후로는 모두 살기 위한 지식이 되었다. 이제 나는 이전에 가졌던 질문에 답을 할 수 있었다. 내게 이 세상은 고통뿐이었지만 사실은 그렇지 않았다. 행복도 즐거움도 가득 했다. 이브를 만나고 나는 그녀가 나의 행복이라고 믿었다. 하지만 그녀는 내게 다른 행복을 알려주었다. 음식을 먹는 것, 따사로운 햇볕을 쬐는 것, 식용 버섯을 찾는 것, 노래하는 것, 요리하는 것. 봄을 기다리는 것, 꽃을 보는 것. 내게 살아갈 이유가 없던 것이 아니었다. 내가 모르고 있던 것들이, 내가 인식하지 못하고 있던 것들이 모두 내가 살아가야 할 이유였다. 나는 이브 덕분에 비로소 깨달을 수 있었다. 그때 로봇이 남긴 '살아달라.'의 의미를. 왜 그가 내게 그런 약속을 부탁했는지 깨달을 수 있었다. 그게 어떤 의미로 말을 했는지 알 수 있었다.

"고마워, 이브. 내게 세상을 알려줘서, 내 가족이 되어주어서."

고맙다는 말은 내게 너무 과분한 말이었지만 전하지 않으면 안 되었다.

"가족이라…. 좋은 말이네."

이브는 내 말을 듣고 그제야 싱긋 미소를 지었다. 가족. 확실히 의미가 깊은 단어였다. 날 낳은 부모뿐만 아니라 길러 주었던 로봇, 그리고 지금 옆에 있는 이브도 모두 내 가족이다. 이전에는 모호했던 가족의 의미가 지금은 가늠이 갔다.

"나도 고마워, 아담. 밥을 먹고 함께 생활하고. 이 모든 경험을 준 네 덕분에 인간에 대해 알 수 있었어. 네 덕분에 '살아남아.'의 뜻을 알 수 있었어."

이브는 말했다. '살아남아'의 의미를 깨달았다고. '살아남아'와 '살아달라'. 명령과 부탁. 서로의 형태는 다르지만 '살아'라는 의미의 결론 같았다.

"이브. 그건 나도…."

"저길 봐. 아담."

이브는 하늘을 바라보며 내게 말했다.

"혜성이야."

이브를 따라 하늘을 바라보니 정말 혜성이 내리고 있었다. 저번에 옥

124

상에서 봤을 때처럼 무수한 별이 떨어지진 않았다. 하지만 단 하나의 별, 그 거대하고 푸르른 별이 우리의 머리를 지나가고 있었다.

"그때 네가 말했지. 내 생각을 말해 달라고. '내 생각을 말한다.' 그때는 무척 어려웠는데 지금은 할 수 있을 것 같아."

이브가 다시 고개를 돌려 나를 바라봤다. 거대한 혜성과 나의 얼굴이 그녀의 눈동자에 비쳤다. 그녀의 검은 눈이 처음으로 밝게 반짝이고 있었다.

"나는 인간이 되었어. 다른 이의 의견은 상관없어. 나는 내가 인간이 되었다고 생각해. 너는 어때, 아담? 너는 아직도 죽고 싶어?"

"나는….."

나는 어쩌고 싶은 걸까. 사실 모르겠다. 분명 죽기 위해 살아왔는데 이브와 함께한 이후로는 오히려 살아갈 이유가 늘어갔다. 하지만 이렇게 이브가 사라진다면, 나의 오아시스가, 장미가 사라진다면 내게는 다시 살아갈 이유보다 죽어야 할 이유가 늘어나는 게 아닐까. 내가 쉽사리 대답하지 못하고 있자 이브가 입을 열었다.

"사람들은 떨어지는 별에 소원을 빈대."

이브의 눈동자는 별들로 가득해졌다.

"소원이 뭔데?"

"비밀로 해야 정말 이루어진다니까 알려줄 수 없어."

이제 이브의 눈동자 속에는 나의 얼굴로 가득했다.

"소원 대신 바람은 알려줄 수 있어."

"바람?"

이브는 나를 보며 싱긋 웃었다.

"다른 로봇들에게 알려주는 거야. 로봇도 인간이 될 수 있다는 걸."

"……"

"아, 맞다. 어제 분석하던 노래 칩. 복구 다 됐어."

"노래?"

노래 칩이라면 저번에 예전 집의 폐허에서 발견한 그걸 말하는 건가. 아직 가지고 있었구나.

"마침. 딱 좋은 타이밍이네. 한 곡 들어봐."

"그래."

실은 궁금하긴 했다. 대체 무슨 노래길래 칩으로까지 만들어져서 그 폐허 속에서 남아있었을까. 단순히 우연인가 아닌가. 그런데 이브는 노래하기 전에 무언가 할 말이 있는 듯 입을 열었다 닫기를 반복했다.

"왜 그래, 이브? 하고 싶은 말이라도 있어?"

이브는 한참을 망설이듯 입을 꼼지락대다가 겨우 말을 꺼냈다.

"……아담. 사랑해."

그녀는 지금까지 본 것 중 가장 환한 미소를 지으며 속삭였다.

"…뭐?"

"그럼. 노래 시작할게!"

이브는 머리가 새하얘진 나를 두고 노래를 시작해버렸다. 사랑이라. 나는 또다시 그녀에게 어려운 과제를 받아 버렸다.

「고마워요, 곧 작별인사를 할게요

비록 세상은 끝났지만, 지금은 자책하지 말아요

만약 사실이라도, 나는 당신을 품에 안고 세상에 생명을 줄게요

고마워요, 이제 작별인사를 할게요

비록 세상은 끝났지만, 자책하지 말아요

만약 그러고 있다면, 나는 당신을 품에 안고 세상에 생명을 줄게요

우리의 세상에 말이죠

고마워요, 곧 작별인사를 할게요

비록 세상은 끝났지만, 지금은 자책하지 말아요

만약 사실이라도, 나는 당신을 품에 안———」

　혜성이 모두 타들어 가 그 빛이 꺼질 때쯤, 이브의 노래도 사그라들었다. 그녀는 편안한 표정으로 눈을 감고 있었다. 결국, 모두 끝나버렸는데, 대체 뭐가 좋아서 이렇게 웃고 있는지. 내가 이브의 몸을 안아 들자 그녀의 목에서 작은 칩이 떨어졌다. 나는 그걸 주머니에 넣고 옥상의 난간 앞으로 다가갔다. 이브는 내게 새로운 감상을 전해줬다. 그녀와 함께하는 옥상은 새롭고 즐거운 경험뿐이었다. 태양은 더 따스했고 별은 더 반짝였다. 하지만 이제 이브는 없었다. 밝고, 찬란한 혜성처럼 내게 강렬한 인상을 새기고 지나가 버렸다.
　어쩐지 밤하늘이 어두워 보였다. 하긴 이렇게 많은 별이 쏟아졌는데 별이 남아있을 리가 없었다. 이브가 지나간 밤하늘은 새로운 감상을 불러일으켰다. 평소보다 더 쓸쓸하고 가슴이 아려왔다. 시원함은 느껴지지 않았고 답답함만이 마음을 뒤덮었다. 이게 이브가 두려워한 외로

움일까. 아니, 무언가 달랐다. 이브가 없는 세상이 와 버렸지만, 아직 그녀의 여운에서 벗어나지 못하고 있다. 그러니까 이건 아직 외로움이 아니다. 슬픔, 외로움, 쓸쓸함. 모두 절망이나 허무의 감정과 한없이 가깝지만 다른 감정이었다. 그 증거로 이토록 괴로운데 죽고 싶다는 생각은 들지 않았다. 죽기 위해 '살아달라.'는 말의 의미를 찾아 헤맸다. 하지만 막상 그 의미를 알고 나니 죽을 수 없었다. 참으로 역설적인 이야기였다.

저주는 깰 수 없었다. 오히려 저주가 더 늘어난 기분이었다. 불완전했던 시절의 내게 삶의 이유가 되었던 이브는 이제 없다. 하지만 그렇다고 죽고 싶다는 생각이 들지는 않았다. 그녀의 바람, 사랑이란 단어의 의미. 내게는 알려야 할 것과 알아야 할 것이 남아있었다. 그 끝이 어떻게 끝나는지는 모르겠지만 나는 책임을 져야 했다.

별이 없기 때문일까. 하늘을 바라봐도 어떠한 호기심이나 의문이 들지 않았다. 다만 그걸 대체하듯이 내 고민이 밤하늘을 가득 채웠다. 하지만 그게 싫지는 않았다. 지금 내게 필요한 건 환한 별바다가 아닌 어둡고 텅 빈 밤하늘이었다. 나는 한동안 하늘을 바라보며 내 고민을 되짚고 즐기고 후회하며 시간을 보냈다.

나는 이제 다 떠오른 태양을 바라보다 아래로 내려갔다. 아직 생각이 모두 정리됐다고 할 수는 없지만, 다음을 기약하면 됐다. 나는 내가 만난 첫 번째 로봇의 약속을 지키기 위해, 그리고 내가 만난 첫 번째 인간의 바람을 이루기 위해 나아가야 했다. 책에서 말한 대로 누군가에게 길들여진다는 것은 눈물을 흘릴 일이 생긴다는 일이었다. 나는 내가 길들인 여우에게 책임을 져야 했다. 나는 무너진 집 앞에 내가 길들인 여우를 묻었다. 그리고 비로소 깨달았다. 내가 여우를 길들인 순간, 나도 여우에게 길들여진 것이라고. 어찌 보면 당연한 사실에 쓴

웃음이 지어졌다. 나는 흙먼지를 털어내고 자리에서 일어섰다. 나의 여우에 대한 책임을 다하기 위해서, 가슴속에 저주를 품고 넓은 사막으로 걸음을 내디뎠다.

일곱 번째 : 막대사탕

이리디센트 롤리

각설탕

각설탕이란 필명에 사탕을 이미지로 한 소설이지만 저는 설탕보다는 초콜릿을 더 좋아합니다. 설탕이란 것은 저에겐 너무나 달디단 존재..

이리디센트 롤리

- I -

이것은 마녀 코셸에 대한 이야기이다.

한낮의 태양빛과도 같은 색의 긴 곱슬머리와, 금빛을 옮겨다 놓은 듯한 눈동자. 콕콕이 박혀있는 주근깨를 가진 코셸이 사는 곳은 울창하게 숲이 이루어진 산 깊은 곳이다. 이곳을 아는 사람이라곤 코셸 본인과 의뢰를 전달해주는 올빼미 밖에 없다. 물론 찾으려고만 한다면 올 수야 있겠지만, 누가 이런 곳까지 오겠나 싶을 정도의 깊은 숲속이라 직접 찾아오는 손님은 없었다.

그런 코셸이 하는 일은 마음을 입힌 설탕 덩어리를 조각하는 일이다. 정확히 말하자면 마음이 스며든 결정을 조각하는 일이지만, 사람들에게는 이미 '얼굴 없는 마음 조각사'로 알려져서 코셸도 편하게 마음을 조각한다고 말하곤 한다.

보통 마녀라고 하면 다들 약물을 제조한다거나, 빗자루를 타고 날아다니는 것을 생각하지만, 사실은 그렇지 않다. 마녀라고 검은색 옷에 커다란 모자를 쓰거나, 거대한 냄비에 재료를 넣고 휘휘 섞고 있지도 않다. (물론 코셸은 우리가 보통 생각하는 마녀다운 복장을 선호하지만 말이다.) 각자의 재능을 살려 특별한 안경을 만든다거나, 악기를 연주하는 등 수많은 직업을 가지고 있다. 이는 코셸도 마찬가지였다.

코셸은 어릴 적부터 '조각'이라는 것에 빼어난 재능을 보였다. 가장 기본적인 나무부터 시작해 석고, 돌, 심지어는 철로 된 덩어리조차도 아름답게 조각해냈다. 어떤 대부호는 코셸의 작품을 거액의 금액을 주고 사가기도 했으며, 학교에서는 코셸에게 부탁을 하여 조각상을 의뢰하기도 했다. 집에서도 이를 자랑스러워하며 집안 곳곳에 작품들을 전시해 놓을 정도였다.

하지만 정작 본인은 이런 재능에 관심이 없었다. 물론 기뻐해 주는 사람들을 보며 뿌듯함을 느끼기는 했지만, 어딘가 성에 차지 않았다. 그러다 어느 순간부터 왜 성에 차지 않는지를 깨달았다.

'조각에는 영혼이 없어!'

예술 작품에는 그 작가의 혼이 담겨있다고 사람들은 흔히 말하곤 하지만, 안타깝게도 코셸은 자신이 깎아낸 조각에서 어떠한 것도 느끼지 못했다. 그러니 모두의 칭찬이 사탕발린 말로밖에 들리지 않았던 것이다. 거기에 코셸은 주로 혼자서 작업을 해왔기 때문에 굉장히 고독함을 느꼈다. 사람들로 북적거리는 것을 별로 좋아하지는 않지만, 그렇다고 해서 오롯이 자신 혼자서 고독하게 있는 것도 그다지 좋아하지 않았다. 하지만 코셸은 슬슬 자신이 무엇을 하며 살아갈지에 대해 고민을 해야 했고, 곰곰이 생각해보았다. 독특하면서도, 자신이 자신 있게 할 수 있을만한 마법을 만들어내고 싶었기에 신중에 또 신중을 가했다.

처음 마법을 생각할 때 코셸은 조각은 생각조차 하지 않았다. 자기 자신에게 있어서 그다지 특별하게 느껴지지 않았다는 것도 있었지만, 사실 조각을 가지고 마법을 만든다는 것 자체가 어려운 것도 있었다. 이 곳에서 마법이라 하면 보통 구두나 망토 같은 사물에 마법을 걸거나, 마법이 걸려있는 약물이나 알약을 제조했다. 그렇기 때문에 아예 별개로 생각하는 것도 그다지 이상하지 않았던 것이다.

그러던 어느 날, 부엌으로 가려던 코셸의 눈에 이제까지 자신이 조각해온 작품들이 눈에 들어왔다. 언젠가 조각을 한 것들을 부모님이 거실에 하나씩 놓아둔 것들이었다. 코셸은 걸음을 틀어 거실로 갔다. 생각보다도 많은 조각품들이 거실을 가득 채우고 있었고, 조각들은 햇빛을 받아서인지 평소보다도 예쁘게 보였다. 코셸은 자신이 제까지 해온 작품들을 눈에 담으며 거실 한 바퀴를 돌았다. 아주 천천히 차분하게 말이다. 그랬더니 이제까지 별 볼일 없이 느껴졌던 조각들이 하나하나 빛을 발하는 기분을 느꼈다. 당시에는 알 수 없었던 자신의 성장을 자신의 눈으로 직접 바라보니 색다른 느낌이었으리라. 자신은 굉장히 조각에 열심이었고, 고독을 느끼기는 했어도 시간을 허투루 보낸 것도 아니란 것을 이제야 안 것이다. 그렇게 코셸은 조각이 자신의 일부와도 다름이 없다는 것을 깨달았고, 그 후로는 조각을 이용한 마법을 만들어내기 위해 힘썼다. 몇 날 며칠을 머리를 싸매고 서적을 뒤적였고, 평소에는 관심조차 가지지 않게 된 세상살이에 대해 알기 위해서 매일 신문을 읽기 시작했다. 당연히 사교모임에도 나가게 되었다. 낯을 가리는 성격 때문에 사람들과 애기를 나누는 것은 서툴렀지만, 조금이라도 사람들이 원하는 것들을 알기 위해서 어쩔 수 없는 선택이었다. 그리고 마침내 코셸은 생각보다 많은 사람들이 자신의 이성과 마음이 다른 것에 고민 한다는 현상을 알게 되었다.

"나한테 좋아한다고 해주는 사람이 있는데, 나는 아무리 해도 그 사람이 좋아지지 않아."

"그 애는 나를 배신했어. 하지만 나는 여전히 그 애를 포기하지 못하고 있어."

이와 같은 고민은 연애 감정이 아니더라도 생기곤 했다.

"나는 그 애가 이유 없이 싫어. 그치만 그 애는 나랑 친하게 지내고 싶어 해."

사람들은 다양한 이유로 자신의 마음을 바꾸고 싶어 했다. 코셸은 사람들의 마음을 조각할 수 있다면 좋겠다는 생각을 했다. 하지만 형태가 없는 마음을 조각하기란 너무나도 어려운 일이었다. 과연 어떻게 하면 조각을 할 수 있을지 코셸은 다시금 고심에 빠졌다.

또다시 고민을 하는 날이 이어졌다. 이제 코셸은 신문도 읽지 않았고, 사교모임에 나가지도 않았다. 오롯이 마음을 조각하는 것에만 열중하며 연구를 시작했다. 먼지가 쌓여있는 마법서를 꺼내서 살펴보기도 하고, 사람의 마음과 관련된 것이라면 어떠한 글이든 읽어보았다. 그러던 어느 날, 어김없이 머리를 싸매던 코셸은 오랫동안 자신이 방을 나가지 않았다는 것을 알게 되었고, 바람이라도 쐴 겸 마을로 나가기로 했다. 곧 마을 축제가 열려서 그런지 마을은 활기로 가득 차 있었다.

"코셸! 굉장히 오랜만이구나. 잘 지내고 있니?"

자신을 부르는 소리에 뒤를 돌아보니, 어릴 적부터 자신을 굉장히 아껴준 사탕 가게의 도르바 아저씨였다.

"안녕하세요. 저는 잘 지내요. 요즘 연구 중인 마법 일만 빼고요."

"그래? 그건 참 안됐구나. 하지만 그럴 때일수록 달콤한 걸 먹으면 좋단다. 자, 여기. 이번에 축제 때 팔려고 만든 것이란다. 어릴 적엔 참 좋아하지 않았니?"

도르바 아저씨가 준 것은 분홍색 하트 모양의 사탕이었다. 그 순간 코셸의 아이디어가 사탕 조각 반짝이듯 빛났다.

'이거다. 설탕으로 마음을 조각해서, 그걸 먹게 하는 거야!'

이제까지의 코셸의 눈빛은 마치 죽어가는 생선의 눈빛과도 같았지만, 문득 떠오른 이 생각에 다시 생기가 돌기 시작했다.

"아저씨, 감사합니다. 아저씨 덕분에 정답을 찾은 기분이에요."

"오, 그러니? 내가 도움이 되었다니 기쁘구나!"

코셸은 서둘러 집으로 돌아가 다시금 연구에 집중했다.

그렇게 만들어진 것이 바로 코셸이 하는 '마음 조각'이다.

'마음 조각', 마음의 결정을 조각하는 일이란 상당히 까다로운 일이었다. 그래서 단순히 의뢰를 맡기는 것 외에도 필요한 준비물들이 있다.

첫째로 의뢰인 본인과 상대의 사진이 필요하다. 코셀은 사람들을 직접 만나지는 않지만, 생김새를 모르면 아무것도 시작할 수 없어서 사진을 통해 얼굴을 알아두기 위해서이다. 두 번째로 필요한 것은 둘만의 추억이 담긴 영상구이다. 영상구는 유리로 된 구슬로, 마음 조각에 필요한 부재료인 마음 가루를 만들어 내는 데에 이용된다. 세 번째로 어떠한 감정으로 바꾸고 싶은지 의뢰서에 적으면 준비할 것은 끝이 난다. 마을 몇몇 군데에는 오직 마음 조각을 의뢰하기 위한 흰 색 우체통이 놓여있는데, 그 안에 의뢰서를 넣으면 코셀의 유일한 동료인 흰 부엉이가 의뢰를 확인하고 그것을 가져다준다.

코셀의 머릿속에는 이미 마음 조각을 만들기 위한 모든 방법이 들어 있지만, 항상 처음의 마음가짐을 잊지 않기 위해 자신이 해야 할 일련의 모든 과정을 적어놓은 종이를 읽고 나서야 작업을 시작한다. 혹시나 순서가 바뀌거나 빠지는 일을 방지하는 아주 중요한 밑 작업이다.

1. 의뢰인이 보내준 두 장의 사진을 꼼꼼히 살펴본다.

이는 작업을 하는 동안 오롯이 그 사람들을 위한 마법을 건다는 생각으로 머릿속을 채우기 위해서이다.

2. 받은 영상구를 절구에 넣고 주문을 외우며 빻아 가루로 만든다.

이때 중요한 것은 마법 주문이다. 여기서 주문을 제대로 걸지 못하면, 의뢰와는 다른 방향으로 바뀔 수 있기 때문이다.

3. 빻은 가루를 잘 펴 놓은 다음, 햇볕 아래에서 3일간 건조한다.

이것은 영상구의 폐기 방법에서 뻗친 방법이다. 본디 영상구는 추억을 영원히 보존하기 위하여 만들어진 것이지만, 세상에는 영원하길 바라다가도 결국에는 잊어버리고 싶은 추억도 생기는 법이다. 그럴 때를 대비하여 소멸시키는 방법 또한 존재하는데, 영상구를 깨뜨린 다음 햇빛 아래에 일주일간 방치하면 자연스럽게 가루가 된 영상구는 땅에 스며들어 사라진다. 하지만 이것을 일주일보다 적게 놔두면, 가루는 햇볕의 반짝임을 머금으면서 유리의 성질은 잃게 된다. 그렇게 된 가루는 인체에도 무해한 가루가 되기 때문에 마법의 재료로써 사용할 수 있게 되는 것이다.

4. 건조된 가루와 설탕 가루를 1:1로 섞고, 물에 가루를 녹인 뒤, 다시 일주일간 햇빛에 건조한다.

이 과정을 통해야만 마음 결정의 주재료인 결정 가루를 얻을 수 있다.

5. 의뢰인이 원한 마음과 맞는 색소를 입히고, 틀에 굳힌다.

마지막 단계는 의뢰에 맞는 색소를 입히는 것인데, 이 또한 코셸이 미리 만들어 놓은 특수한 색소이다. 사랑이라면 분홍, 증오라면 보라, 우정이면 주황. 이처럼 각 상황에 맞는 모양을 굳히면 누가 봐도 황홀해지는 반짝거리는 투명한 마음 결정이 완성된다.

코셸이 발명한 이 마음 조각은 사람들의 이목을 끌었다. 특히나 싫어하는 사람을 싫어하지 않게 하거나, 좋아하는 사람을 포기하고 싶은 사람들에게 특히나 인기였다. 그러나 모든 마법에도 좋은 점만 있는 것이 아니듯, 이 마법에도 주의할 점들이 몇 가지 있었다.

첫째. 의뢰는 의뢰인 당 한 번만 가능하다.
둘째. 이미 조각한 마음을 다시 조각하는 것은 금지되어 있다.
셋째. 오롯이 공식적으로 들어온 의뢰만 작업을 시작할 수 있다.
넷째. 의뢰를 할 때에는 자신의 의지로만 할 수 있다.
　　　타인의 의지로 실행될 시, 마법은 발동하지 않는다.
다섯째. 이미 실행된 마법을 취소하는 방법은 없다.

이러한 주의할 점이 있는 탓에, 인기가 있지만 많은 사람은 마음을 바꾸기를 꺼리기도 했다. 그럼에도 코셸은 자신이 남긴 업적이라 할 수 있는 이 마법을 사랑했고, 프라이드를 가졌다. 어쩌면 꺼리는 사람들은 안중에도 없었던 것일지도 모른다. 그도 그럴 것이 코셸에게는 항상 의뢰가 들어왔고, 그걸로 아주 바쁘지만 뿌듯한 일상을 보내고 있었으니까 말이다. 이미 언급되었듯이 코셸은 깊은 숲속에 있었기 때문에, 세상살이를 알려주는 것은 하루에 한 번 배달 오는 신문 한 부가 전부였다. 물론 간간이 부모님과의 연락을 위해 편지를 주고받긴 하지만, 부모님은 언제나 하나뿐인 딸을 걱정할 뿐이라 편지에 마을에 무슨 일이 일어나는지 적을 생각은 하지도 못 했다.

코셸은 하루의 일과를 마치고 난 뒤에서야 그날의 신문을 읽는 것을 좋아했다. 일반적이라면 하루의 시작에 신문을 읽겠지만, 햇빛이 들어오는 시간이 매우 중요한 코셸에게는 하루의 마지막에 신문을 읽는 것이 당연했다. 유일하게 세상살이를 알 수 있는 수단이었던 신문에는 관심을 가지던 의류 브랜드의 새로운 시즌 의상을 런칭했다는 소식이라거나 어느 마을에 인기 많은 서커스단이 방문하여 사람들이 줄을 지어 그곳에 방문했다는 소식과 같이 즐거운 소식들이 한가득 실려 있었다. 그걸 보며 조만간 마을에 내려가 볼까 했지만, 언제나 생각에 만 그쳤다. 그저 요즘 세상이 어떻게 돌아가는지만 알아도 충분했을 뿐더러 신문을 내려놓으면 곧바로 머릿속은 일에 대한 것들로 가득 차버렸기 때문이다.

그렇게 점점 더 세상과 멀어져가는 것도 모른 채, 코셸은 묵묵히 제 일을 해나갈 뿐이었다.

 의무적으로라도 매일 신문을 읽던 코셀이지만, 최근에는 신문에 전혀 손을 대지도 못했다. 이상하리만큼 의뢰가 빗발쳤기 때문이었다. 얼마나 의뢰가 들어왔냐면, 유일한 동료인 올빼미가 일만 끝나면 바로 쓰러지듯이 자버릴 정도였다. 의뢰도 이상하리만큼 비슷했다.

'제 마음을 똑같이 절반으로 나누어 주세요.'

'제 연인에게 저와 같은 감정으로 마음 결정을 만들어주세요.'

'제 마음의 절반…. 아니, 거의 다 줘도 괜찮으니 이 사람에게 제 마음을 나눠주고 싶어요.'

코셀은 당황스러웠다. 애초에 의뢰에는 자신의 의지가 아니면 받을 수 없었다. 하지만 사람들의 의뢰에는 모두가 입을 맞춘 듯, 상대방의 동의는 받았다는 문장과 함께, 의뢰를 수락해 달라는 당사자의 모습이 담긴 영상구도 함께 들어 있었다. 이러한 의뢰가 들어온 이상, 코셀은 의뢰를 거절할 수가 없었다. 처음 몇 번은 거절도 해보았지만, 한결같이 간절함을 담은 짧은 편지와 함께 똑같은 의뢰가 올 뿐이었다. 결국, 코셀은 어찌할 바를 모른 채로 의뢰를 받아들였던 것이다.

 이렇게 하루하루를 바쁘게 보낸 코셀의 집 문 앞에는 읽지 않은 신문이 쌓여만 가고, 그와 동시에 의뢰도 쌓여만 갔다. 자는 시간을 줄이고, 먹는 시간을 빼고서는 일만 했음에도 시작도 못 한 의뢰는 늘어만 갔다. 코셀은 이상하다고 생각하면서도, 순전히 자신의 마법이 조금 더 사람들에게 인정받은 거라 생각하면서 마법을 걸었다. 미래의 성공한 마녀로 인정받는 자신을 떠올리며 말이다.

 이런저런 의뢰를 마무리 짓고 또다시 쌓여있는 의뢰를 살펴보던 중, 이상한 의뢰가 하나 들어있다는 것을 알아챘다. 사진도, 영상구도 들어있지 않고, 단 한마디가 적힌 의뢰서와, 오린 신문기사 하나가 들어 있었다.

'마음을 부숴주세요.'

이 의뢰가 어떤 의미를 나타내는지 알 수 없었던 코셀은 같이 들어있던 신문기사를 집어 들어 읽어보았다. 일주일 전의 기사로, 거리에 공허하게 서 있거나 절규하는 사람들이 찍힌 사진이 함께 실려 있었다.

'마음 도둑 성행, 마음을 잃어버리고 공허하게 사는 사람들 늘다…'

현재 코트빌 마을에 마음을 도둑맞는 사람들이 급격하게 늘어나기 시작했다. 이 사건은 삼 일 전, 코트빌 국립 병원에 환자들이 찾아오면서 알려지게 되었으며, 마음을 도둑맞은 사람들은 아무런 감정을 느끼지 못하게 된다고 한다. 어떠한 의학적 문제도 없는 것으로 보아 누군가 마법으로 없앤 것이 아니냐는 얘기가 나돌기 시작하며 사람들 사이에서 마음 도둑이라는 단어가 사용되게 되었다.

실제로 조사해본 결과, 이 현상이 일어난 사람들에게는 모두 어떠한 마법에 걸린 적이 있다는 것이 발견되었으며, 마법국은 이를 연쇄적인 사건이라고 보아 사건 조사에 착수하였다. 하지만 어떠한 진척이 나오지 않고, 특별한 증상도 행동도 없이 일어나는 상황 탓에 사람들의 불안감만이 점점 커지고 있는 상황이다. 몇몇 학교와 회사에서는 에서는 오롯이 집에만 있기를 권장하며….

기사를 읽은 코셀은 기겁을 했다. 마음을 훔친다니, 어쩜 저렇게 잔인한 짓을 하는 것이냐며 피해자들에 대해 애도했다. 더불어 자신의 직업의 원천과도 같은 마음을 함부로 건드린 것에 결국 분노까지 느껐다. 한참을 슬픔과 분노에서 오락가락하던 코셸은 다시 현실로 돌아와 기사와 함께 온 의뢰서를 다시 한번 보았다. 하지만 기사를 읽어도 마음을 부숴달라는 의뢰는 여전히 이해가 가지 않았다. 처음에는 누군가가 나에게 장난을 치기 위한 의뢰일까 했지만, 신문 기사를 넣어둔 것으로 보아 어쩌면 복수를 위한 의뢰가 아닐까 했다. 그렇지만 의뢰서에는 어떠한 대상도 적혀 있지 않았다. 자신을 뜻하는 것인지, 마음 도둑의 범인을 뜻하는 것인지 알 수 없었다. 코셸은 책상에 앉아 이 의뢰를 어떻게 해야 할지 잠시 고민했다. 당연히 형식에 맞지 않기 때문에 이를 무시하고 다른 의뢰를 진행할 수도 있었다. 하지만 단순히 무시하기에는 무언가 해결해야 할 것만 같았다. 이것은 단순한 코셸의 감이었다. 물론 그렇다고 해서 코셸의 마법은 마음의 방향을 바꾸는 것이지, 있던 마음을 없앨 수 있는 것은 아니었다. 애초에 의뢰 자체가 무엇을 의미하는지도 모르기도 하지만 말이다. 어떻게 해야 이 의뢰를 해결 할 수 있을지 모르겠던 코셸은 결국 책상을 박차고 일어났다. 의뢰를 한 사람을 찾기 위해 마을로 내려가기로 마음을 먹은 것이다. 다행히도 이 의뢰를 맡긴 부근을 알 수 있었기 때문에, 그곳에 간 뒤에 수소문을 해서라도 찾을 생각이었다.

마을로 내려가는 일이란 상당히 까다로운 일이었다. 지금의 마음 결정을 만들어 내기 직전까지도 코셸은 마을에서 살았지만, 사람들에게서 얻는 스트레스가 싫었기 때문에 일을 찾자마자 깊은 숲속으로 들어가 버렸다. 거의 산꼭대기에 살기 때문에 내려가려면 며칠을 내리 걸어야만 했다. 마법 빗자루를 탈 수 있다면 빠르게 내려갈 수 있었겠지만, 안타깝게도 코셸은 빗자루를 타는 데에 재능이라곤 손톱만큼도 없었다. 적당히 의뢰들을 정리해두고, 코셸은 서둘러 나갈 채비를 했다. 이마저도 사실은 이틀이나 걸리고 말았다. 커다란 가방에 산에서 내려가면서 먹을 음식들과 비상용으로 사두었던 야외용 취침 도구, 나침반과 지도, 잊지 않고 의뢰서와 신문기사도 챙겼다. 거기에 최근 발명한 휴대용 마음 결정 조각 키트도 말이다. 집의 문을 단단히 잠그고, 드디어 마을로의 발걸음을 한 발 내디뎠다. 코셸의 짤막한 외출의 시작이었다.

아무도 밟지 않아 새하얗고 소복하게 쌓인 눈에 코셸의 발자국이 하나씩 새겨져 갔다. 나무가 빼곡하고, 분명 길이 있었을 터인 곳에는 이미 눈이 쌓여 보이지 않았다. 코셸은 짤막한 한숨을 내쉬고선 넘어지지 않게 천천히 앞으로 나아갔다. 분명 여기서 산 중턱까지만 간다면 여기보다는 눈이 덜 쌓여있을 터이다. 조금이라도 편안한 곳에서 자고 싶었던 코셸은 산중턱부근까지 발걸음을 서둘렀다. 한참을 걸었을까, 푹푹 꺼지던 눈은 조금씩 줄어들기 시작했다. 산 중턱에 접어든 것이다. 해가 저물 시간이 다가왔기 때문에 안도의 한숨을 내쉬고, 주위를 둘러보며 하룻밤 잠을 잘 장소를 찾아보았다. 몇 분인가를 더 걷던 와중에 조금 멀리서 작은 갈색 나무로 된 오두막이 보였다. 연기가 몽글몽글 피어오르는 것으로 보아 사람이 사는 집인 듯 했다. 코셸은 야영을 하지 않아도 된다는 생각에 신이 나 오두막을 향해 달려갔다.

겉으로 본 오두막은 상당히 작았다. 문에는 호랑가시나무 잎으로 만들어진 장식이 걸려 있었고, 전체적으로 투박하지만 아담한 분위기를 풍겼다. 커튼이 쳐져 있어서 내부는 보이지 않았지만, 살짝 열려 있는 창틈에서는 맛있는 냄새가 났다. 그제야 코셸은 자신이 길을 걸어오는 몇 시간 동안 약간의 물밖에 마시지 않았다는 것을 깨달았다. 얼른 일을 해결하고 집으로 돌아가고 싶었던 코셸은 망설임 없이 문을 두드렸다. 잠깐의 정적이 일고 얼마 안 가 끼익 소리와 함께 오두막의 문이 열렸다.

"누구쇼?"

꽤 나 등치 있고, 턱수염이 길게 자란 중년의 남성이 나와 말했다.

"안녕하세요. 저는 저 산 정산 언저리에 사는 마녀 코셸이라고 해요. 사정이 있어서 급하게 마을로 내려가는 중인데, 해가 저물어 가서 이곳에서 하룻밤 묵을 수 있을까 하고요."

"호.. 그렇군. 일단 들어오게."

남성은 꽤 흥미롭다는 듯이 코셀을 바라보더니 몸을 돌려 들어오라는 듯한 손짓을 취했다.

"실례하겠습니다."

오두막은 겉으로 본 것과는 다르게 생각보다 넓었다. 아무래도 마법이 걸려 있는 오두막 같았다.

"적당히 아무 데나 앉게. 보아하니 먹을 것도 제대로 안 먹었을 것 같은데, 곧 수프라도 갖다 줄 테니."

"아, 감사합니다."

코셀은 거실 한가운데 놓여있는 초록색 소파에 살포시 앉고서는 슬며시 주위를 둘러보았다. 코셀의 바로 앞에는 커다란 벽난로 안에서 장작이 타닥거리며 타들어 가고 있었고, 그 위에는 남자가 잡은 것인지 사슴 머리의 박제가 걸려 있었다. 벽난로 왼편에는 나무 책상이 있었으며, 그 위는 온갖 서적과 종이들로 난장판이었다. 오른편에는 날이 아주 잘 갈린 도끼가 몇 자루씩이나 통 안에 꽂혀있었다. 그때야 자신이 아무것도 모르는 남자의 집에 들어와 있고, 무슨 일이 일어나도 이상하지 않을 상황이라는 것을 깨달았다. 지금이라도 밖으로 도망쳐야 하나 싶어 어정쩡한 자세로 있는 코셀에게 남성이 뒤에서 말을 걸었다.

"호오, 갑자기 도망갈 생각이라도 든 건가? 뭐, 말리지는 않겠지만 이미 밖은 어두워졌어. 이제 와서 나가 뭔지 모를 짐승에게 잡아먹힐 바에는 여기서 따뜻한 수프라도 먹는 게 좋지 않겠어?"

뒤를 돌아보니 남성은 수프가 든 그릇을 들고 어깨를 한번 으쓱하더니 수프 그릇을 쥐여주고는 자기소개를 했다.

"마녀 아가씨 이름이 코셸이라고 했지? 나는 티펠이네. 이 산의 나무를 베서 마을에 내다 파는 일을 하고 있지. 마을 사람들에게 나무꾼 티펠이라 말하면 어지간하면 알아들을 테니 이상한 오해는 하지 말고 안심하게."

그 말까지 듣고 나서야 코셸은 뒤늦게 생긴 경계심을 어느 정도 풀 수 있었다. 실제로 그의 오두막 벽에는 마을에서 사람들과 어울려 찍혀있는 사진도 여럿 걸려 있었다.

경계심이 풀려서인지 이제야 수프의 향이 맡아졌고, 자신이 배가 고프단 것을 자각한 코셸이 조심스럽게 수프를 한 입 먹었고, 오랜만의 코셸의 눈이 반짝였다.

"맛있어요! 무슨 마법이라도 건 것 같아요."

"그렇다니 다행이야."

코셸은 허겁지겁 수프를 마시다시피 먹었다. 달그락거리고 후르륵거리는 소리가 한동안 오두막을 가득 채웠다. 그릇이 거의 다 비워진 것을 본 티펠이 물었다.

"그런데, 무슨 일로 급하게 마을로 내려가는 중이었던 거지? 빗자루도 없이 말이야."

먹던 그릇을 내려놓고 입가를 닦은 뒤에 코셸은 대답했다.

"의뢰가 하나 들어왔는데, 아, 저는 마음을 바꾸는 마법을 사용하는 마녀예요. 언제나 바쁘게 사람들의 의뢰를 받죠. 그런데 얼마 전 마음 도둑이 성행한다는 것을 신문으로 보았고, 그것을 알려준 의뢰인의 의뢰가 너무 이상해서 그 사람을 찾으러 가는 중이었어요."

"-마음을 바꾼다-라, 그거 멋있군. 마을에 관한 일이라면 나도 빠삭하게 알고 있지. 맞아, 마음 도둑에 대한 것도 알고 있어. 무서운 일이지. 악독한 녀석. 내 눈에 들어왔다면 내가 가진 도끼의 등으로 그 녀석의 목덜미를 쳐 기절시킨 다음 반성할 때까지 풀어주지 않는 건데 말이야. 그런 와중에 의뢰라, 어떤 의뢰인지 물어봐도 되나?"

티펠은 점점 표정이 험악하게 변하며 감정이 실린 듯한 목소리로 범인을 저주하는 듯하다가 다시 평온한 상태로 돌아와 의뢰에 대해 질문했다. 급변하는 그의 모습에 살짝 놀랐지만, 코셸은 다시 차분하게 말을 시작했다. 일단 그의 심기를 건드려서 좋을 게 없다는 것을 알았기 때문이었다.

"물론이죠. 하지만 봐도 딱히 볼 내용은 없어요. 딱 문장 하나가 적혀 있거든요."

"그 문장이라면?"

"마음을 부숴주세요, 이렇게 적혀 있었어요."

"호오, 정말이지 신기한 의뢰군."

티펠은 팔짱을 낀 채로 손가락으로 팔을 툭툭 치면서 고개를 끄덕였다. 시선은 아래로 한 채로 말이다. 생각을 정리하는 듯 했다. 그러다 무엇인가 번뜩인 듯이 그는 코셸에게 얼굴을 가까이 들이밀었다. 놀란 코셸은 시선을 피하며 가능한 고개를 뒤로 내뺐었다. 그의 숨결은 어쩐지 습하고 불편했다.

"생각났어! 너에게 분명 도움이 될 수도 있고, 어쩌면 안 될 수도 있지만 말일세."

그가 정말이나 불편했지만, 오려진 한 조각의 신문기사 외엔 어떠한 정보도 가지고 있지 않았기 때문에, 코셸은 흥미가 동했고 어쩔 수 없이 그의 눈을 바라보았다.

"그게 뭔데요?"

"내가 바로 어제 마을에 나무를 팔러 갔을 때 지팡이 가게 주인인 뮌 사장에게 들은 이야긴데 말이야…"

그가 말한 소문의 내용은 이렇다. 마을에는 어느 순간부터 마음이 사라지는 사람들이 생기기 시작했다. 이를 전염병이라고 본 한 의사가 이 현상을 해결해내기 위해 마음을 잃어버린 사람에게 그러지 않은 사람의 마음을 이식하는 실험을 하려 했다. 그러기 위해서는 당연하게 사람이 필요했고, 자신의 사랑하는 가족과 지인들이 안타까웠던 사람들이 자진해서 그 실험에 참여했다. 하지만 실험은 번번이 실패했고, 의사를 포함한 실험 참가자들은 모두 절망했다. 그러던 어느 날, 마음 이식에 성공하게 된다. 모두가 성공에 기뻐하며 축배를 들었고, 성공 사례가 속속들이 생겨났다. 그러나 얼마 가지 않아 마음 이식을 받은 사람은 막심한 고통을 호소하며 결국에는 미쳐 자살하고 마는 일이 생기고, 이는 이식 받은 사람 대부분에게서 일어나게 되었다. 의사는 그들이 왜 그러한 고통을 느꼈는지 알 수 없었고, 결국에는 어떠한 해결법도 찾지 못한 채로 죄책감에 자신마저 목숨을 끊고 만다.

 이 이야기를 들은 코셸은 흔히 어린이들 사이에서 도는 뻔한 소문이라 생각하면서도 어딘가 찜찜함을 느꼈다. 어쩐지 자신에게 들어온 의뢰들과 소문의 실험이 비슷하다고 생각했다. 애써 소문은 소문일 뿐이라며 스스로를 다독이려 해도 왜인지 불안감은 사그라지지 않았다. 결국, 티펠에게 물었다.

"이 소문이 만약 실제로 일어난 일이라면 어쩌죠?"

그러자 티펠은 오두막이 떠나가라 호탕하게 웃었다.

"내 이야기가 그리 진짜 같았더냐? 하긴, 이 소문 때문에 실제로 병원에 클레임을 건 사람도 있다고 하니 무섭게 느껴졌을 수도 있겠군. 하지만 걱정하지 마, 실제 코트빌 국립 병원에서도 그러한 의사는 존재하지 않는다며 공식적으로 입장을 발표했단다."

"그렇다면 혹시 마음이 돌아온 사람은 없나요?"

뜻밖의 질문이라는 듯이 눈을 동그랗게 뜬 티펠은 수염을 쓰다듬으며 고민하더니 고개를 저었다.

"아쉽게도 나는 아직 그런 얘기를 듣지 못했어. 하지만 어딘가엔 정말로 있을지 모르지. 이런, 시간이 늦었구나. 얼른 자도록 해라. 저 방에 들어가면 침대가 있을 테니, 오늘은 거기서 자도록 해."

몇 가지 질문을 더 하고 싶었지만 그만 자라는 그의 말에 불안감은 해소하지 못한 채로 코셸은 자러 갈 수밖에 없었다. 자신이 이 불안감에 잡아먹혀 잠들 수 있을까 하는 고민을 했지만, 그런 고민이 무색하게도 온종일 걸었던 탓인지 코셸은 금세 잠들었다. 그 어떠한 꿈도 꾸지 않은 채로 말이다.

눈을 뜨니 창문을 통해 햇살이 비쳤다. 시곗바늘은 아침 7시를 가리키고 있었다. 비몽사몽 한 상태로 코셀은 비척거리며 방문을 나섰다. 거실에는 일찍이 일어난 티펠이 도끼를 다듬고 있었다.

"오, 일어났나? 곧 나가야 해서 깨워야 하나 했는데 잘 됐군."

"좋은 아침이에요, 티펠."

아직 잠에서 덜 깬 코셀을 보며 티펠은 허허 짧게 웃고선, 작은 빵이 들어있는 주머니를 건넸다.

"앞으로도 갈 길이 멀지? 내가 줄 수 있는 건 이것뿐이지만, 분명 언젠가는 도움이 되겠지. 난 이제 정말 나가봐야 하니, 편하게 있다가 나가. 문은 알아서 잠길 테니 걱정하지 말고."

"아, 감사해요."

욱하는 성격이지만 모르는 사람을 재워주고, 무려 자신이 먼저 집을 나가기까지 하니 세상 참 편하게 사는 사람인 듯했다. 그래도 자신에게 마지막까지 빵을 챙겨주는 것으로 보아 자신은 운이 좋은 편이라 생각하며 짐을 챙겼다.

문밖을 나서니 상당히 차가운 바람이 코셀의 얼굴을 스쳤다. 기운을 차린 코셀은 다시 마을로 향해 발걸음을 옮겼다. 오늘은 산발치까지는 갈 수 있을 터이니, 그쪽에서는 숙소를 구할 수 있을 것 같았다. 내려 갈수록 바람은 시원해졌고, 눈도 어느새 보이지 않게 되었다. 내려가는 도중에 잠시 풀숲에 앉아 티펠이 준 빵을 먹었다. 버터의 풍미가 훅 풍기고 폭신한 것이 코셀의 입에 맞았다. 잠시 빵을 먹으며 쉬어가는 도중에 어젯밤에 들었던 소문에 대해 다시 한번 생각해 보았다. 이 제야 말하지만 사실 코셀은 소문을 듣고 그러한 일이 일어난 것 자체에 대해 두려움을 느낀 듯이 보였지만, 사실 자신이 어쩌면 의도치 않게라도 이 일에 가담한 게 아닐까 하는 생각에 그러한 감정에 휩싸인 것이었다. 티펠에게는 자신은 마음을 바꾸는 의뢰를 받는다고 했지, 최근에 들어온 마음을 나누어 달라는 의뢰에 관한 애기는 한마디도 하지 않았으니 자신의 불안에 대해 알 길이 없었을 것이다. 빵을 반쯤 먹다 말고 코셀은 생각에 잠겼다.

'-마음을 이식한다-라, 어딘가 비슷한 의뢰를 받고 어찌어찌 결정을 만들어 내긴 했지만…. 일단 내 의뢰는 그다지 도움이 되지는 않았나 봐. 그런데 설마 내 마법과 관련이 있는 건 아니겠지?'

코셀은 조금 우울해졌다. 자신이 건 마법이 효과가 없었다는 것은 이 마법에 자부심이 있는 코셀에게 있어서는 상당히 큰 충격이었다. 그래도 자신에게 꾸준히 의뢰가 들어왔던 것과 소문이라는 것은 언제나 와전되고 있던 일보다도 더 무겁게 전해진다는 것을 위안 삼아 손에 들린 반쯤 남은 빵을 단숨에 먹어치웠다. 설마하는 마음도 함께 말이다.

산발치에 다가간 것인지 아주 멀리서 점처럼 보이는 빛들이 보였다. 아마 저녁을 먹기 시작한 마을일 것이다. 이 속도로 간다면 오늘 안에라도 마을에 도착할 것 같았다. 차라리 오늘 마을에 가서 잠을 자는 것이 더 좋을 것 같다고 생각한 코셀이 발걸음을 서두르려는데, 누군가 말을 걸었다.

"거기, 잠깐 기다려."

마치 남자 목소리 같기도, 여자 목소리 같기도 한 중성적인 목소리였다. 코셀이 뒤를 돌아보자, 눈까지 덮어버리는 거대한 후드를 뒤집어 쓴 사람이 서 있었다. 가슴팍에는 이 사람이 마법사임을 상징하는 작은 수정체가 반짝이고 있었다.

"무슨 일이시죠?"

코셸은 약간의 불쾌함을 드러내면서 대답했다.

 옛날부터 코셸은 마법사와의 인연이 그리 좋지만은 않았다. 딱 잘라 악연이라 말할 정도로 말이다. 상성이 맞지 않는다고 해야 할지, 인격적으로 맞지 않는다고 해야 할지는 정확히 알 수 없었지만, 마법사와 얽히기만 하면 꼭 일이 틀어지거나 원하는 결과를 얻지 못했다. 그런데 하필 마을에 코앞까지 와서 마법사가 말을 걸어와 길을 방해 했으니, 코셸의 기분이 그다지 좋지 않을 법도 했다.

"잠시 이야기를 하면 좋을 것 같은데."

코셸의 눈썹이 다시 한번 찡그려졌다. 오만하고 남의 의사 따윈 상관없다는 듯한 말투가 더욱더 신경을 긁어가는 것이 굉장히 마음에 들지 않았다.

"저는 지금 바빠서, 이야기를 나눌 시간은 없을 것 같네요. 그럼 이만."

"마음 도둑에 대해서 알고 싶은 거면 나와 얘기하는 게 좋을 텐데?"

저 마법사는 사람의 심리를 읽는 것이 특기인가? 코셸은 자연스레 발걸음을 다시 마법사를 향해 돌릴 수밖에 없었다. 지금 자신이 이 의뢰를 해결할 단서를 하나라도 더 얻을 수 있다면야 기분 나쁜 마법사와의 대화 따윈 아무것도 아니었다. 돌아본 코셸이 마법사는 꽤 만족스러웠는지 씨익 웃었다.

"현명하네. 여기 앉아."

마법사가 손가락을 튕기자 한순간에 천막이 만들어졌다. 선뜻 들어가기에는 조금 꺼려졌지만, 왜인지 이 마법사한테서는 쉽사리 벗어날 수 없을 것 같아 한숨을 푹 쉬고 천막 안으로 들어갔다.

 천막 안은 생각보다 깨끗하고 깔끔하게 정돈 되어 있었다. 마법사는 아무 말도 하지 않았지만 코셸은 당당하게 걸어가 가장 좋아 보이는 소파에 걸쳐 앉았다.

"말했다시피 나는 바빠요. 뭘 얘기하고 싶은 건지는 모르겠지만, 서둘러 끝내줘요."

"보기보다도 새침데기군. 뭐, 좋아. 나도 그다지 한가한 사람도 아니고 말이야. 그래도 시간은 좀 주면 좋겠어. 마음 도둑 씨."

코셸의 눈동자가 커졌다. 그리고 곧바로 얼굴을 찡그렸다. 어쩐지 마음 한쪽이 쑤시는 기분이었지만, 이때의 코셸은 그것을 제대로 느낄 새도 없었다. 참을 수 없는 분노와 짜증이 치밀었기 때문이다. 더는 코셸은 불쾌감을 감출 생각도 없었고, 예의를 갖출 생각도 없었다.

"그게 무슨 소리죠?"

차갑게 가라앉은 목소리가 마법사를 향했다.

"말 그대로야, 마녀 코셸. 네가 찾고 있는 마음 도둑이 바로 너야."

이제 코셸은 화가 치밀어 끓다 못해 눈물이 날 것 같았다.

"말도 안 되는 소리! 난 그런 짓 한 적도 없고, 하려고 한 적도 없어. 애초에 내가 범인이라면, 내가 왜 이 일에 대해서 알아보려고 마을에 내려가겠어? 그냥 숨어 살고 말지. 안 그래?"

"진정해. 네 성량에 내 소중한 천막이 날아가겠어. 난 네가 도둑이라고는 했지만, 네가 의도적으로 마음을 훔쳤다고는 한마디도 하지 않았어."

코셸은 더는 아무 말도 하지 않고 마법사를 노려볼 뿐이었다. 하지만 마법사는 그 눈빛만으로도 코셸의 감정을 알 수 있었다. 당장에라도 네 말에 자세한 설명을 하지 않는다면 나는 당장에라도 난리를 칠 수 있다고 말하는 듯했다. 마법사는 이젠 대답도 하지 않는 코셸을 보며 소용이 없다고 생각했는지 고개를 몇 번 젓고 말을 이어갔다.

"이대로 내가 결말만 말해봤자 소용없을 것 같으니 그냥 차례대로 애기해 줄게. 좀 진정하고 듣는 게 좋을 거야. 이 일이 일어나게 된 사건부터 알려줄 테니까. 약 10일 전, 코트빌 국립 병원으로 한 남성이 찾아 왔어. 그의 이름은 콰튼. 마을 세무서에서 일하는 청년이었지. 밝고 활기찬 성격을 가진 그는 결혼한 지 얼마 되지 않은 아내와 함께 왔어. 무표정한 상태로 말이지. 그는 어떠한 감정도 느낄 수 없다고 호소했어. 이것이 그가 병원에 찾아온 이유이지. 때문에 병원 측은 콰튼의 심리적인 문제가 있다고 생각해 그를 정신과로 보냈지만, 어떠한 검사를 받아보아도 그는 별 이상이 없었어. 그렇게 정신과에서는 문제가 없다고 판단하고 바로 외과로 보내버렸지. 뇌에 문제가 있을 거라고 생각했거든. 하지만 얼마 안 가 그에겐 아무런 문제가 없다는 결과만 계속해서 나올 뿐이었어. 병원은 어쩔 수 없이 아무런 조치도 취하지 못한 채로 그를 돌려보냈어. 아내는 펑펑 울고 있었지만 어쩌겠어. 병원의 능력으로는 그의 병을 알지 못했으니 말이야.

그런데 신기한 일이지. 점점 콰튼과 같은 증상으로 병원을 찾는 사람들이 늘기 시작했어. 나이나 성별, 심지어 사는 곳도 각자 달라서 이 증상이 왜 시작됐는지, 전염성이 있는 것인지 아무런 정보도 얻지 못하던 참에 사람들은 너에게 의뢰를 보내기 시작했을 거야. 자신의 마음을 둘로 나눠달라고 말이지."

코셸의 몸이 순간 움찔거렸고, 자신이 범인이 아니라는 것을 증명하기 위해 할 수 있던 한마디만 겨우 꺼냈다. 분노라고는 느껴지지 않는 소심한 목소리였다.

"하지만, 그 의뢰는 일이 생기고 난 뒤에 온 거잖아."

마법사는 인정한다는 듯 고개를 끄덕였다.

"맞아. 여기서 너는 아무런 잘못이 없어. 실제로 너의 마법은 효과를 보지 못했고, 사람들은 그저 마음을 다루는 마법을 사용하는 사람은 너밖에 없으니 혹시나 하는 마음에 의뢰를 넣은 것일 뿐이니까 말이야. 그건 그렇고 혹시 지금 마을에 돌고 있는 소문을 알아?"

"한 의사의 마음 이식 실험을 말하는 거야?"

"정답. 뭐야, 이런 건 또 잘 알고 있잖아? 이 소문을 사람들은 대체로 믿지 않아. 하지만 소문이라는 게 그렇잖아? 완전히 거짓으로만 되어 있는 것도 물론 존재하지만, 약간의 사실이 와전되고 부풀려져서 퍼지는 것이 바로 소문이지. 이 소문에서 너는 아무것도 느끼지 못 한거야?"

"소문은 소문일 뿐이야. 그 소문을 나한테 말해준 사람도 진짜 있는 일이 아니라고 했고 말이야."

"생각보다 멍청하군. 내가 말하지 않았나? 소문이란 약간의 사실이 와전되는 거라고 말이야. 실제로 마음 이식이라는 실험은 이루어졌어. 한 의사에 의해서 말이야."

마법사는 사진 한 장을 꺼내서 내밀었다. 옷은 흰 가운을 입었으며 긴 머리를 높게 올려 묶고, 살짝 미소를 머금은 한 여자의 사진이었다.

"틸시…?"

"맞아. 잘 아네. 이 여자는 첫 번째 마음 도둑의 피해자, 콰른의 아내야. 의사는 아니고 연구원이지. 자신의 남편이 이러한 상황에 부닥치자 틸시는 마음 이식이라는 실험을 떠올려냈고 자신의 모든 지위와 능력을 사용하여 이 실험 계획을 통과시켰어. 그 과정에서 그녀는 너를 알게 됐지, 너에게 의뢰를 맡겼지. 의뢰를 하나하나 세심하게 보는 너라면 기억하고 있을 거야. 마음을 절반으로 나누어 달라는 의뢰를 말이야."

실제로 코셸은 기억하고 있었다. 의뢰들이 막대하게 들어오기 전, 자신의 마음을 절반으로 나누어달라는 의뢰가 그러한 의뢰 중에서도 가장 처음에 들어온 의뢰였다. 난감했던 와중, 상자에는 영상구 외에도 상당히 다양한 도구들이 들어있는 걸 보았다. 그중에는 이미 만들어져 있는 사탕이 들어있었는데, 설명을 보니 자신의 심리와 연결 지어둔 것으로, 이것을 먹으면 일정 시간 동안 연결된 심리를 타인이 느끼는 것이 가능한 사탕이라는 설명이 적혀 있었다. 이것을 가지고 자신의 마음을 둘로 나눠달라는 것이었다. 며칠의 연구 끝에 코셸은 자신만의 방법으로 마법을 사용해 마음 결정 두 개를 만들었다. 그리고 각자 하나씩 먹으면 된다는 설명과 함께 의뢰를 마쳤었다. 그 의뢰가 실험의 시초였을 줄은 상상도 하지 못했다.

"그 의뢰는 실패였지. 애초에 상대의 감정을 느끼게 하는 사탕조차 콰른에게 효과가 없었던 것이 문제였어. 그래서 틸시는 자신과 비슷한 상황에 사람들을 모으기 시작했지. 더욱 다양한 방법으로, 많은 실험을 해보기 위해서 말이야. 너에게도 점점 많은 비슷한 의뢰가 도착하게 된 것은 그 때문도 있어. 그리고 나도 그때 도움을 요청받고 실험에 참여하게 됐지. 재밌지 않아? 하루아침에 어떠한 감정도 못 느끼게 된다니 말이야. 기억에는 남아 있는데 말이지.

실험에 참여한 나도 이 현상을 살펴보고 조사해보면서 참으로 기이했어. 아무리 보아도 공통점이라고는 하나도 없었거든. 심지어 전날에 무엇을 했는지까지 조사했는데도 찾을 수 없었어. 조금 더 심층적으로 분석해 볼 필요가 있다고 생각한 나는 그들을 한 명씩 불러서 그들의 몸에 새겨진 모든 것들을 되돌아봤어. 상당히 골치 아팠지. 아무리 나라도 그런 마법은 속이 울렁거려서 질색이니까. 그런데 이게 웬걸? 아주 뜻밖의 수확을 얻었어. 마음이 사라진 사람들 모두에게 무언가 마법을 건 흔적이 있다는 걸 말이야."

"설마 그 마법이란 게, 내 마법이라고 하려는 건 아니지?"

코셸은 더 이상 그에게 아무런 얘기도 듣고 싶지 않았다. 당장에 도망치고 싶어 안달이었다. 하지만 확인해야만 했다. 아니라는 대답을 당당하게 요구해야만 자신의 존재를 유지할 수 있을 것 같았기 때문이다. 하지만 안타깝게도 마법사의 대답은 잔혹했다.

"맞아. 그게 네 마법이었어, 코셸. 모두에게 재차 확인한 결과, 모두가 너의 마음 결정을 먹었다는 공통점을 찾아냈지"

마음이 철렁 내려앉는 느낌을 이날 코셸은 처음 느꼈다.

이제껏 코셸은 자기 자신에게 자부심이 있었고, 어떤 날에는 자기 전에 자신이 이 마법으로 위대한 업적을 세워 모두에게 칭송받는 상상을 하며 잠든 적도 있었다. 그것이 한순간에 무너지는 순간이었으니, 코셸이 얼마나 절망했는지는 쉽게 짐작할 수 없었으리라. 하지만 마법사는 말을 멈추지 않았다.

"그래서 이 마법을 그만하라고 말을 하려고 찾으러 가려던 참이었는데 말이야. 네가 여기까지 와주다니 정말 행운이었지."

그때 코셸은 문득 자신이 마을까지 오게 된 의뢰를 떠올렸다.

"그럼, 그 의뢰는 뭐야? 마음을 부숴달라는 의뢰를 받았어. 나는 그 의뢰에 대해 알아보기 위해 마을까지 가려던 거였고. 그것도 네가 보낸 거야?"

이제 울먹이는 목소리에는 허무함과 애절함이 서려 있었다.

"의뢰? 글쎄. 난 아니야. 어쩌면 나처럼 모든 걸 알고 있는 사람이 있다고 치면, 그 사람이 그만하라고 말하기 위해 보낸 게 아닐까? 하지만 이제 네가 의뢰만 받지 않는다면 더는 이런 일은 일어나지 않을 테고, 그렇다면 조용히 잊힐 일이 될 테니까 그런 의뢰 따윈 이젠 신경 쓸 필요도 없는 거 아냐?"

마법사의 말이 진짜라면 그의 말에 따르는 것이 맞았다. 그렇지만 이렇게 허무하게 자신의 마법을 포기할 수는 없었다. 당장에라도 천막을 뛰쳐나가 마을로 가서 진실은 무엇인지 직접 보고 싶은 마음을 꾹 억누르고 다시 한번 질문했다.

"좋아, 아직 모든 말이 믿기지 않지만, 당신의 말이 진실이라고 치자고. 그렇다면 앞으로 내가 뭘 하면 돼? 무엇을 도와주면 되는 거지?"

"말했잖아. 그 같잖은 마법 따윈 집어치우고 조용히 살라고. 그게 다야. 내 이야기는 여기서 끝. 그럼 할 얘긴 다 했으니 이만."

마법사는 그렇게 말하고선 손가락을 튕겼다. 그러자 아까의 천막과 마법사는 온데간데없어지고, 코셸은 덩그러니 아까 서 있던 곳에 남겨졌다. 역시 마법사는 최악이다.

몇 분인가를 멍하니 서 있다 겨우 아까의 대화를 다 정리한 코셸은 아주 오랜만에 소리 내서 울었다. 무척이나 서럽게, 그것도 아주 오랫동안. 어느 정도의 시간을 우는 것에 썼는지는 모르겠지만, 겨우 울음을 그치니 저 멀리 점처럼 보이던 불빛의 수가 확연히 줄어있었다. 공기도 조금 더 차가워진 것으로 보아 새벽이 된 것 같았다. 코앞이었던 마을과 갑자기 들어와 꽂힌 진실. 이제 코셸은 선택을 해야 했다. 아무도 자신의 얼굴을 모르니 없던 일로 하는 것은 어렵지 않았다. 그러니 모든 것을 그저 조용히 묻어두고 다시 자신의 집으로 돌아갈지, 아니면 자신이 한 일을 짊어지고 마법사의 말에 대한 진위와 의뢰인을 찾으러 마을로 갈 것인지 고심에 빠졌다. 세상에서 가장 긴 새벽이었다.

한참을 생각하고 고민하는 시간 동안 그리도 길게 느껴지던 새벽도 아침으로 변해 있었다. 아침 해는 잔인할 만큼 따스하게만 느껴졌다. 자신의 모든 것을 부정당한 것에 엄청난 혼란을 겪은 코셸이지만, 그런데도 그녀는 약하진 않았다. 새벽이 다 갈 동안 자신이 앞으로 할 일들을 정했다. 우선 정말로 마음을 도둑맞은 사람들이 자신의 마음 결정을 먹은 사람들인지부터 확인하는 것이었다. 의뢰자의 얼굴은 보면 알 수 있었기 때문에 그다지 어렵지 않을 것이다. 만약 정말로 마법사의 말이 맞았다면 코셸은 그들의 마음을 찾아 줄 마법을 개발할 생각이었다. 얼마나 걸리지는 모르는 일이지만 그것이 유일한 사죄의 방법 같았다. 그다음으로는 자신의 본래 목적인 의뢰인을 찾아서 왜 이런 의뢰를 보낸 것인지 알아내는 것이다. 이제는 정말 찾을 이유는 거의 없지만, 찾아내서 얘기를 듣지 않으면 후련하지 않을 것 같았다. 코셸은 잠은 한숨도 자지 못했지만, 생각이 정리돼서 그런지 상쾌한 기분도 들었다.

조금은 두려움을 가지고 도착한 마을은 이른 아침이라 그런지 사람들이 거의 없었다. 일단 오랜만에 내려온 마을이기 때문에 부모님이 계신 집으로 향했다. 코셸이 어릴 적부터 새벽에 일어나 아침 준비를 하는 엄마라면 이미 일어나 있을 터였다. 집에 도착하니 예상대로 엄마가 깨어 있었고, 어떠한 기별도 없이 온 코셸을 반겼다. 그러다 눈가가 시뻘건 코셸에게 무슨 일이 있다고 짐작하셨는지 짐을 대신 들어주고 별다른 질문은 하지 않은 채로 코셸이 좋아하던 스튜를 만들어주었다.

"역시 네가 오니 집 공기가 부드러워지는구나. 배고프지? 어서 먹으렴."

엄마의 특제 스튜는 여전히 맛있었고, 엄마는 그대로 상냥했다. 코셸은 엄마가 일부러 자기에게 어떠한 것도 묻지 않는다는 것을 알았고, 코끝이 찡해졌다. 부모님께 사정을 얘기할까도 했지만, 역시 부모님에게만은 모든 것을 해결한 뒤에 말을 할 수 있을 것만 같았다. 뒤늦게 나온 아빠와 엄마는 코셸에게 조금 더 집에서 쉬기를 권했지만, 그럴 시간은 없었다. 조금이라도 빨리, 그리고 더 오래 사람들을 살펴보고 싶었다. 한사코 부모님의 권유를 거절하고 마을 광장으로 나왔다. 그새 사람들이 어느 정도 북적이고 있었다.

두근거리는 심장을 애써 심호흡으로 진정시키며 주위의 사람들의 얼굴을 살짝살짝 살펴보았다. 긴장으로 점점 시야가 새까매지는 것 같은 기분을 느낄 때, 익숙한 얼굴이 스쳐 지나갔다. 분명 자신에게 의뢰를 넣은 사람이었다. 코셸은 그 사람을 쫓아가 말을 걸었다.

"저기, 잠시만요!"

소리쳐 부르자 그가 뒤를 돌아봤다. 그의 얼굴을 제대로 보자마자 코셸은 할 말을 잃었다. 생기 없는 눈동자, 올라가지도 처지지도 않은 입꼬리. 마치 죽은 사람의 얼굴을 한 사람이 자신을 내려다보았기 때문이다.

"무슨 일로?"

사진과 영상구로 본 모습은 조금도 찾아볼 수 없었고, 그의 모습과 목소리, 몸짓 그 어떠한 것에서도 감정이 느껴지지 않았다. 심장이 미친듯이 뛰었다. 코셸은 미안하다는 대답조차 하지 않은 채 서둘러 뒤돌아 뒷골목으로 걸음을 옮겼다.

'마음을 도둑맞은 사람이 무작위라고 했을 때, 과연 수많은 사람 중에서 내게 의뢰를 한 사람이 마음을 도둑맞았을 확률은 얼마나 있는 거지?'

뒷골목에 들어와 떨리는 동공과 함께 숨을 몰아쉬며 그제야 이러한 현상들이 내 마법의 부작용 때문이라는 마법사의 말이 맞았다는 것을 알 수 있었다. 막상 이러한 상황이 닥치니 쉽사리 생각했던 것처럼 행동할 수 없었고, 두려움이 뇌를 좀먹어가선 아침에 먹은 스튜마저 토사물로 만들어 버릴 듯한 기분이었다. 그때, 멀지 않은 곳에서 시선이 느껴졌다. 고개를 돌려보니 막힌 골목길 끝에 누군가가 자신을 바라보고 있었다.

"누구, 세요?"

이제 정말로 누군가를 만나고 싶지 않았지만, 그런 상황에서 아무 말 없이 지나가는 게 더 이상했다.

"멀어서 잘 안 보이나? 코셀 나야, 티나."

목소리의 주인공은 티나였다. 티나는 코셀의 마법 학교 동기로, 사근사근한 성격으로 언제나 모두에게 사랑받던 아이였다. 코셀과는 연이 깊어 오랫동안 친하게 지내다가 코셀이 산에 틀어박혀 일하게 된 이후로 만나지 못하게 됐고 교류가 끊겼었다. 그리고 티나도 마음 결정을 먹은 사람 중 한 명이었다.

"오랜만이다, 코셀. 잘 지낸 것 같네."

티나의 상냥한 말투. 하지만 상냥한 건 말투뿐이었다.

"오랜만이야, 티나. 저기 있잖아, 혹시 너도…."

"맞아. 도둑맞아버렸어, 내 마음. 이제 어디에도 없대."

이런 상황은 코셀을 점점 더 궁지에 몰 뿐이었다. 그걸 아는지 모르는지 티나는 계속해서 말을 걸었다.

"너는 괜찮아 보이네. 다행이다. 그거 알아? 우리 학교 같이 다녔던 애들, 전부 다 도둑맞았어. 내가 마지막이야. 아, 코셀 네가 있으니까 마지막은 아닌가. 왜 모두 빼앗겨 버렸는지 너는 알아?"

코셸은 대답할 수 없었다. 화제를 돌리기 위해서 옷자락을 꽉 쥔 채로 애써 웃으며 다른 얘기를 꺼냈다.

"하하, 글쎄. 그런데 티나는 왜 여기 있는 거야?"

"넣은 의뢰가 어떻게 해결될지 궁금해서 언제 도착하나 기다리는 중이었어. 설마 코셸 네가 직접 올 줄은 몰랐지만 말이야."

티나의 표정이 순간 일그러져 보였다. 생각해 보니 의뢰인이 의뢰를 보낸 장소는 마을 광장의 자주 놀던 골목길. 그 자주 놀던 골목길은 바로 지금 코셸과 티나가 있는 곳이었다. 의뢰인은 다름 아닌 티나였던 것이다.

"그게, 그러니까, 그 의뢰는 티나 네가 보낸, 거야?"

"맞아. 주위 애들의 마음이 사라지기 시작할 때 나도 이 현상을 해결하는 데 도움이 되고 싶었어. 어느 정도 일의 경위를 알게 되었을 때, 나까지 마음이 사라져 버린 거야. 마음이 사라졌을 때, 머리로는 이상하다는 걸 깨달았지만 그게 다였어. 아무것도 느껴지는 게 없었거든. 그때도, 지금도 공허 그 자체야. 이럴 줄 알았다면 그때 너의 마음 결정을 먹는 게 아니었는데 말이야.

오랫동안 후회했어. 물론 너에게 잘잘못을 따지려는 건 아니야, 코셸. 너도 몰랐을 테니까. 이해해, 지금 너는 굉장히 혼란스럽겠지. 되려 아무런 감정 표현을 하지 않아도 돼서 편하기도 해. 그런데 말이야, 나는 마음이 있을 때가 더 나은 것 같아. 하지만 난 이미 마음이 없잖아? 그래서 생각해 봤어. 어디론가 사라진 마음을 부숴버린다면 새로운 마음을 가질 수 있지 않을까 하고 말이야.

코셸, 너라면 할 수 있잖아. 그치?"

코셸은 티나가 대체 무슨 말을 하는지 잘 이해가 되지 않았다.

하지만 이것만큼은 알 수 있었다. 모든 것은 자신이 잘못한 것이었다.

의지로 바꿀 수 없는 것을 바꿔 준 것이 그렇게 나쁜 것이었던 걸까.
코셸은 그렇게 생각하면서 티나에게 말했다.

"티나, 미안해. 그런 건 할 수 없어. 이미 돌릴 수 없는 일이야. 그리
고 그 책임은 전부 나한테 있고. 모두에게 면목이 없어. 그래도 내가
시간이 걸려도 마음을 되돌릴 수 있는 방법을…."

"그렇구나. 아냐, 괜찮아. 이 방법도 실패인 거네. 더 이상 신경 쓰지
않아도 돼. 모두 그렇게 생각할 거야."

유독 그렇다는 대답이 싸늘하게 박혔다. 코셸은 아무것도 할 수 없었
고, 하고 싶지도 않아졌다.

다음 날이 밝았다. 코셸은 티나와의 만남 이후로 자신의 방의 틀어박혀 나오지 않았다. 코셸은 자신의 모든 것을 부정당한 듯한 기분에 우울감에서 빠져나오지 못했고, 이러한 상황에서도 아무것도 할 수 없는 자신이 한심하기까지 했다. 그때 노크 소리가 들렸다. 코셸의 엄마였다.

"코셸, 일어났니? 뭐라도 좀 먹겠니?"

"아니요. 괜찮아요."

전날 밤, 코셸은 부모님께 모든 것을 털어놓았다. 부모님은 코셸을 달래주며 이 상황을 해결할 방안을 같이 찾아보자며 위로를 건넸지만, 마법을 사용할 줄 모르는 부모님이 도울 수 있는 것은 기껏 해봐야 코셸에게 희망의 말을 건네는 것뿐이었다. 코셸의 대답에 코셸의 엄마는 다시 한번 말을 건넸다.

"코셸, 아침에 도르바 아저씨가 왔었단다. 네가 왔다는 것을 굳이 알리지 않다는 게 좋겠다는 걸 알고 있었지만, 아저씨가 너를 무척이나 아끼지 않았니. 너의 안부를 묻는 질문에 결국 네가 왔다는 소식을 전했단다. 아저씨가 너를 무척이나 만나고 싶어 했어. 너의 기분이 좋지 않다는 말을 하니 그 이후로는 구태여 만나지는 않겠다고 하셨지만, 방금 전에 네가 좋아하던 사탕을 한가득 주고 가셨단다. 꼭 너한테 전해달라고 하셨어. 문 앞에 둘 테니 하나라도 먹어보렴."

그 말을 뒤로 자신의 방 문 앞에서 발걸음 소리가 멀어졌다. 잠시 가만히 침대에 앉아있던 코셸은 방문을 살짝 열었다. 문 앞에는 작은 바구니에 어릴 적 좋아했던 사탕들이 한가득 들어있었다. 그 안에는 자신에게 영감을 주었던 하트 모양의 막대 사탕도 있었다. 그리고 그 사탕에는 쪽지가 달려 있었다. 뭘까 싶어 펼쳐본 쪽지에는 이렇게 적혀 있었다.

-코셸, 왜 내가 사탕에 알록달록한 색들을 입히는지 아니?
물론 사람들의 눈을 즐겁게 하기 위함도 있지만, 혹여나 슬프거나 화
가 난 사람들의 기분에 밝은색을 입혀주기 위함도 있단다.
달콤하고 색색의 사탕을 먹으면 기분이 좋아지니 말이다.
부디 이걸 먹는 너의 기분도 다시 밝아지면 좋겠구나.

도르바 아저씨가.

코셸은 그 쪽지를 읽고 울컥하는 마음과 동시에, 한 가지 생각이 떠올랐다.
"아, 그래. 마음 결정에 색을 입히는 거야. 잊고 싶지 않다는 마음을 담은 따뜻한 색을 입히면, 의뢰인들의 마음이 돌아올지도 몰라."
방법을 떠올림과 동시에 의지가 다시 되살아난 코셸은 곧바로 자신이 살던 집으로 돌아갈 채비를 했다. 부모님은 걱정하며 며칠 더 있다가라 성화였지만, 코셸은 괜찮다고 말하며 집을 나왔다. 조금이라도 빨리 자신이 새로 떠올린 방법을 시험에 보고 싶었기 때문이다. 올 때와는 다르게 집으로 돌아가는 길은 그렇게 오래 걸리지 않았다. 빨리 돌아가야 한다고 재촉한 코셸을 위해 아빠가 이동 마법이 걸린 망토를 사와 주셨기 때문이다.
집에 도착하니 집 앞에는 수많은 의뢰서가 도착해 있었다. 하지만 코셸은 그것들에게 눈길조차 주지 않고 바로 작업실 책상에 앉아 자신이 떠올린 새로운 마법을 연구하기 시작했다.
시간은 흘러 어느새 마을은 1년의 한번 있는 축제가 열렸다. 광장에는 사람들로 가득했고, 와자지껄한 분위기가 마을 전체를 채웠다. 마을은 더 이상 마음이 사라진 사람들에 대해 점점 더 심각성을 느끼지 못하게 되었다. 그도 그럴 것이 그 누구도 이 문제에 대해서 해결책을 내놓지 못했으며, 자신의 문제가 아니라고 생각하는 사람들도 늘어나 점점 묻히게 된 것이다. 그런 와중에 축제는 점점 절정에 달해가고 마무리를 짓는 불꽃놀이만을 남기고 있는 해 질 녘이 되었다. 사람들이 불꽃놀이를 보려고 점점 더 광장에 모이고 있을 시점에, 짙은 남색의 후드를 눌러쓴 한 사람이 단상에 올랐다.

그러고는 손에 들려 있는 커다란 바구니에서 포장이 되어있는 조그마한 상자를 뿌리기 시작했다. 마을 사람들이 의아해하며 상자를 열어보자 작은 하트 모양의 설탕 조각이 들어있었다. 그 설탕 조각은 어딘가 따뜻한 색을 담고 있었으며, 해 질 녘의 태양빛을 받으니 무지개의 색으로 빛났다. 모두가 어리둥절해하며 이 설탕 조각을 뿌린 사람을 쳐다보자, 그 사람은 후드를 뒤로 넘겼다. 후드를 벗으니 한낮의 태양빛과도 같은 색의 긴 곱슬머리와, 금빛을 옮겨다 놓은 듯한 눈동자. 콕콕이 박혀있는 주근깨를 가진 사람이 서있었다. 바로 코셸이었다. 코셸은 조금 긴장한 듯 보였지만, 크게 심호흡을 한 번 내쉬고는 이야기를 시작했다.

"여러분, 저는 마음 조각사 코셸이라고 합니다. 제 이야기를 들어주시겠어요?"

코셸은 왜 자신이 왜 마음 조각이라는 것을 만들어 내게 된 것인지, 이 마법으로 어떠한 일들이 일어나게 됐는지 하나하나 말해나갔다. 떨리는 두 손을 꼭 쥔 채로 말이다.

"… 그래서, 마음을 잃은 사람들을 그대로 둘 수는 없다고 생각했습니다. 그런 생각에서부터 시작하여 드디어 만들어 낸 것이 방금 여러분들이 받으신 것입니다. 여기에는 이제까지 투명하기만 했던 마음 결정에 따뜻함을 담아서 만들어 봤습니다. 마음을 잃어버리신 분들이 투명한 마음이 아니라 색이 있는, 따뜻한 마음을 가지길 바라면서 말입니다. 마음을 잃지 않으신 분들에게는 그저 달콤한 설탕 조각이겠지만, 분명 이것이 도움이 될 사람들이 많이 있을 거라 생각합니다. 이 마음 조각은 충분히 준비해 두었습니다. 그러니 주변에 이 조각이 필요한 모든 사람들에게 전해지도록 도와주세요."

코셸은 말을 마치자마자 몰려오는 두려움에 두 눈을 꼭 감았다. 자신의 마법으로부터 시작된 이 일로 사람들에게 어마 무시한 질타를 받진 않을까 하는 두려움과 불안함이 코셸 스스로를 몰아붙였다.

그때, 어느 한 사람이 박수를 치기 시작했다. 들려오는 박수소리에 코셸을 포함한 주위의 사람들의 시선이 박수소리 쪽으로 몰렸다. 그러고 나서 모두 놀랄 수밖에 없었다. 박수를 치는 사람은 최초의 마음을 잃었던 사람인 쾌른이었고, 그가 눈물을 흘리고 있었기 때문이다. 코셸의 새로운 마법이 성공한 것이었다. 그 모습을 본 같은 처지의 사람들은 너도나도 사탕을 입에 넣었다. 이윽고 박수 소리는 광장을 뒤덮었고, 너도나도 할 것 없이 코셸을 향해 박수를 쳤다. 그 중에는 호탕하게 웃고 있는 도르바 아저씨도 있었다. 모두의 박수에 코셸은 이제껏 중에서 가장 환한 미소를 지어 보였다.

그 뒤로 시작된 불꽃놀이를 뒤로하고 단상에서 내려온 코셸은 곧장 도르바 아저씨한테 달려갔다. 그러자 아저씨는 코셸에게 사탕을 건네주며 말했다.

"코셸, 대단하구나. 마음고생이 많았을 텐데, 고생했다."

"아뇨, 모두 아저씨 덕분인걸요. 아저씨가 그때 사탕을 건네주지 않았더라면 여기까지 오지 못했을 거예요. 정말 감사해요."

코셸은 아저씨를 꼭 안으며 감사를 전했다.

이 이후로 모든 일은 순조롭게 풀려갔다. 마음 조각을 먹은 사람들은 차례차례 마음을 되찾아 갔고, 코셸에게는 감사를 전하는 편지들이 가득 도착했다. 그리고 코셸은 사람들의 마음을 조각하는 것을 관뒀다. 그 대신 사람들에게 따뜻함을 느끼게 해주는 설탕 조각들을 팔았다. 슬픈 사람도, 화가 난 사람도, 이미 기쁜 사람도 모두가 따뜻함을 느낄 수 있는 조각들을 말이다.

여덟 번째 : 고등어

고고

"뻐끔뻐끔"

고도리

　고등어가 죽었다. 녀석은 고도리라는 이름도 있었다. 내가 양식장에서 발견한 치어에게 남모르게 지어준 것이다. 여러 잡어가 들어있는 우리 배의 양식장은 과거에 고등어 양식장이었던 폐그물을 할아버지가 발견한 이후로 우리가 쓰고 있다. 그래서인지 확실히 양식장에는 몇 마리 고등어가 떼를 지어서 돌아다니는 모습을 종종 볼 수 있다.

　보이는 물고기들 가운데 고도리는 같이 다니는 치어 떼에서도 유독 줄무늬가 잘 보였다. 그 고등어 녀석들이 양식장에서 키워졌던 과거 고등어의 자식들일 것이다. 푸른 등에 흰 배가 유독 뚜렷한 그 녀석은 무리의 다른 녀석 중 가장 훌륭한 고등어였다. 깔끔한 무늬뿐만 아니라 생김새도 귀엽고 몸체도 튼튼하니 가장 건강해 보였다. 하지만 앞서 말했다시피 고도리는 죽어버렸다. 정확히 무슨 요인인지는 아직도 모른다. 고도리의 생활에 나는 눈치채지 못한 다른 문제가 있었던 것일까.

　오늘 꿈에 고도리가 나왔었다. 그 녀석도 나를 생각해서 같은 꿈을 꾸었다고 여겨서 즐거웠는데. 비참하게도 고도리의 아침은 나와 다른 세상이었다. 아팠더라면 티를 내지…. 티를 내주었더라면…. 그랬더라면 나는 고도리를 도와줄 수 있었을까? 일어나있었더라도 수영을 못하는 내가 도울 수 없었을 현실이 비통했다. 이미 늦은 후회가 꼬리를 물며 생각을 좀먹었다. 편하게 자는 동안에 고도리는 손 쓸 새도 없는 곳으로 떠났다는 현실을 인정하고 싶지 않았다.

　파도에 몸을 맡긴 채 흰 배를 뒤집고 있는 녀석은 다시 파도를 가르며 유유히 움직일 것만 같았다. 그게 마치 내 꿈이었다는 듯 미동이 없었다. 수면 위로 뜬 모양이 어제 본 녀석과 별다를 게 없어 보여서 쓰다듬으면 살아 움직일 것 같았다. 떨리는 손을 뻗어 손끝으로 녀석을 쓰다듬었다. 닿은 촉감은 무심하고 끔찍하게도 뻣뻣했다. 무기물과 다를 것 없는 감촉에 나도 일순 몸이 굳었다. 그 찰나의 틈으로 그것은 목석처럼 파도에 떠밀려 멀어져 버렸다. 사실 죽고 싶은 것은 나인데, 나를 두고 먼저 간 고도리가 조금 원망스러웠다. 눈을 떠도 감아도 뿌옇게 시야가 흐렸다. 뺨을 적시는 눈물이 바닷물처럼 짰다.

고도리를 잃었지만, 정작 고도리를 위해서 마음속으로 떠나보내는 것 말고는 해줄 수 있는 게 없었다. 차라리 수영이라도 할 수 있었더라면 떠나던 그 몸을 붙잡아줄 수 있었을 텐데. 만약, 수영할 줄 알았더라면 하는 상상은 이미 오 년 동안 수없이 해왔던 것이지만, 아직도 맥주병인 몸뚱이는 항상 원망스러웠다. 오늘도 나를 좋아할 수 없단 생각을 하며 붉어진 눈으로 마저 가방을 챙겨 학교 가는 배를 탔다.

–

고도리를 떠나보낸 지는 이 년이 되었다. 수영장에 가라앉는 것도, 고도리를 생각하면서 적응했다. 바닷물로 이루어진 수영장에서는 몸을 맡기고 있으면 어느새 묵직함과 함께 온기가 살짝 돌았다. 물론 아직도 수영은 젬병이지만, 수면 위야말로 무력함이 온몸을 짓누른다. 그에 비하면 물속은 양반이었다. 수면 아래에서 죽었다 상상하며 모든 감각을 차단하는 방법을 터득했다.

띠---. 기계음이 울리면서 수영장 풀 안에 있던 사람들이 몸을 세운다. 몸을 일으키면 아래에선 고요했던 귀가 소란스러워진다. 물의 흐름, 잡담, 천장의 울림, 옆 라인의 평가가 몰려와 들리기 시작한다. 내 앞에서는 감점 요인들이 무심하게 이어졌다. 비루한 실력이 수면 위에서 까발려지기에 평가시간의 모든 소리에서 도망치고 싶었다. 하다못해 물장구 소리에도 어깨가 움츠러들었다. 나는 평가받는 학생들 가운데 가장 나이가 많았지만, 아직도 수영 학교를 졸업하지 못했다. 그렇다, 물에 뜨지도 못하는 한심한 인간이 바로 나다.

배에서 살기 때문에, 집에서의 일을 안전하게 돕기 위해서는 수영이 필요하다. 보통 열다섯이면 진즉 졸업해서 집안일을 돕지만 나는 그에 두 해가 더 붙은 열일곱이다. 한심하게도 아직 졸업은커녕 바다에 뜨는 것조차 못했다. 야외는 걸핏하면 흔들리는 파동에 바다에 빠져 죽을 위험이 도사리는데 나처럼 수영할 줄 모르고서는 나가서 제대로 된 일당을 받을 수 없다. 같은 맥주병 처지인 사람은 나와 증조할머니가 유일한데 따지고 보면 증조할머니는 나와 처지가 다르기에 결국 바다에서 난 사람 중에서는 내가 유일했다.

내가 태어나기도 훨씬 이전의 과거에는 수영이 선택이었다. 육지라는 곳은 수영을 못해도 살아가기에 충분한 공간이었다는 것을 방문 너머로 주워들었다. 증조할머니는 배에 있는 사람 중 육지를 본 유일한 사람이다. 때문에, 육지의 정보에 대해서는 증조할머니의 말이 절대적이다. 문틈 사이를 통해 들은 육지는 돌과 흙이며 땅이고, 원래는 그 위에 집이 지어지는 것이었다. 그런 세상에 어느 순간 바다가 넘쳐 육지를 잡아먹었다고 했다.

육지가 사라지기 시작하고 살아남기 위해 만들어진 게 이 바지선 위의 집이다. 돌과 흙으로 이루어진 육지 위에 지어진 집이라니. 너무나도 신비하고 궁금했지만, 증조할머니가 나를 피하셨다.

어린 시절부터 나는 증조할머니와 친하지 않았다. 사실 증조할머니를 포함한 가족 모두와 친하지 않았다. 그나마 할아버지와 가까웠는데, 그마저도 단둘이 남겨지는 일이 많았기 때문이다. 덕분에 할아버

175

지가 양식장을 발견하고 입에 적당히 풀칠한다는 일화는 귀에 딱지가 지도록 들었다. 그전까지는 우연히 흘러들어온 해초나 바지선 구석에 장만한 조그만 텃밭의 잡초나 좀 먹는 정도였다고. 이야기를 듣던 것도 낚시하시던 할아버지 옆에 있다가 다친 이후 금지되었다.

작업하는 근처로 다가가면 혼나기 때문에 내 일과는 방에 얌전하게 있는 것이 전부였다. 불평하기에는 가족들은 항상 배를 정비하고 밭을 가꾸는 등 바다 위에서 살아남기 위해 바빴다. 그에 비해 아무것도 못 하는 나는 단지 거슬리는 짐이었다.

방에 남겨지는 이유를 이해했더라도 쓸쓸한 것은 여전했다. 지루함을 타파하기 위한 최선은 방안에서 할 수 있는 건 잠을 열 시간 자고도 다섯 시간 낮잠을 자는 것뿐이었다. 동화책을 낡아빠질 만큼 읽다가 지쳐 읽을 만한 모든 글자를 찾아다니기도 했다. 반찬으로 나오는 생선의 가시로 다시 생선 모양을 만들기도 했다. 그 모든 것들을 다 해보고도 여전히 외로운 나머지 동생이 있었으면 좋겠다고 노래를 불렀다. 비유가 아니고 진짜 동생 만들어달라는 노래를 작곡해서 종일 부르고 다녔다.

할머니가 구멍 뚫린 양말로 인형을 만들어주셔도 내 머릿속에는 동생뿐이었다. 참고로 그 인형은 냄새가 정말로 고약했다. 같이 배도 돌아다니고 노래도 부르고 밥도 먹고 저녁이 무서우면 서로 안아 줄 수 있는 동생이 필요했다. 실은 지금 생각하면 동생이 아니더라도 괜찮았다. 그때의 나는 내 이야기를 들어줄 사람이라면 충분했을 것이다.

나의 조르기는 주로 배에 있는 할아버지가 들으셨다. 그에 지겨우셨는지 할아버지가 학을 떼고는 열두 살 생일 때 진실을 말해주었다. 이 배에 다행히도 양식장이 있기는 하지만 위태롭다고. 증조할머니, 할아버지, 할머니, 아빠, 엄마 그리고 나. 입은 많은데 이 배에서 할아버지가 보는 양식장의 물고기는 유지만으로도 벅찼다. 다른 가족들이 배에서 나가 다른 배에서 받아오는 품삯으로 간신히 배를 유지하고 있는 것이라고. 나는 이 배의 마지막 아이였다. 나는 그 이후로 동생의 동자도 꺼내지 않았다. 대신 수영 학교에 다니기 시작했다.

수영 학교에서 친구를 사귀는 것도 기대했다. 정작 학교의 또래는 빨리 수영을 배우고 일을 도우러 가는 것에 집중해있던 탓에 빠르게 들어오고 빠르게 배워 빠르게 나갔다. 친구가 전혀 생기지 않은 것은 아니었으나 누구는 집안 사정이 급해 오래 다니지 못하고 졸업했고, 누구는 부진한 나의 실력에 도리질을 치고 멀어졌다. 결국, 친구가 없는 것은 결국 나의 문제라는 것을 열두 살이 되던 해 깨닫고 말았다. 그나마 그해 생일에 고도리를 발견해 마음속 친구로 이름 불러 주는 것이 내 신세였다. 이젠 고도리마저도 잃었다.

학교가 끝나고 양식장이 보이는 배의 구석으로 숨듯이 앉았다. 배를 돌아다니는 게 자유로워진 것은 할아버지가 동생의 진실을 알려준 이후부터였다. 판자로 이루어진 아지트에서 양식장을 멍하니 바라보면서 바닷속에서 헤엄치는 물고기를 보며 고도리를 그리다가 파도를 보다가 윤슬에 눈부셔하다가 구름을 보다가 바람에 몸을 맡기는 바닷새들을 부러워하며 앉아 있는 것이 눈 뜬 시간 중 절반이다. 그러다 잠이 오기 시작하면 방으로 들어가 아침에 먹다 남은 생선구이를 마저 먹고 양치하고 이불을 덮고 눕는다. 아직 아무도 내가 이렇게 일과시간을 낭비한다는 사실을 몰라 아무에게 방해받지 않는다. 아무도 나한테 관심이 없어 가능한 일이었다.

방해받지 않는다고 생각해왔던 것이 바뀌었다. 최근 들어 여전히 근처에 인기척 없는 이 배의 구석에서 누군가가 나를 지켜보는 듯한 시선이 느껴졌다. 스산하기도 했지만 은근하게 활력이 돌기도 했다. 이 배에서 누가 나를 지켜보고 있다니…! 조금 부끄럽기도 했다. 아무것도 하지 않는 쓸모없는 나를 지켜본다니. 그 사람은 틀림없이 아주 재미없는 시간을 보내고 있을 거야. 그런 생각이 드니 괜히 이름 모를 이에게 부끄러웠다.

시선을 눈치챈 첫날은 조금 스산했고, 둘째 날은 심장이 뛰어 바닷바람이 서늘하지 않았고, 셋째 날은 기가 죽었고, 넷째 날은 누가 인사라도 할까 봐 귀를 기울였으며, 다섯째 날에야 지켜본다고 하더라도 이 배에는 가족 외에는 초대받은 사람이 없다는 것을 깨닫고 자신의 멍청함에 치를 떨었으며, 여섯째 날에는 가족들은 나를 볼 일이 없음을 알아 체념했고, 일주일이 되는 날까지 계속 느껴지는 시선에는 내가 미쳤나 싶어서 괴로워졌다.

여덟째 날에는 심심한 일상이 일주일 동안이라도 조금 흥미로운 일이 있어 재미있었다고 스스로 위안했다. 하지만 시선은 아홉째 날에도 열째 날에도 열한째 날에도 열두째 날에도 느껴졌다. 이젠 내가 정말 미쳤구나 싶었다. 열셋째 날은 누구에게라도 말을 꺼낼까 고민하던 바라는 금요일인 오늘 학교가 끝나는 대로 돌아와 루틴대로 자리에 앉는 것이 아닌, 제 지정석이 보일 만한 장소를 찾는다는 새로운 일정이 생겼다. 그날은 유독 잔잔한 바다와 화창한 하늘이었다.

가장 먼저 생각한 장소는 배의 각 모서리. 구석진 곳이지만 다른 구석에서 보일지도 몰라. 생각은 좋았으나 어림도 없었다. 할아버지가 배를 모는 곳. 어깨를 웅크리고 거북목으로 할아버지 눈치를 보며 살금살금 다녔다. 할아버지는 나를 궁금해하실 분이 아니니까. 괜히 돌아다니다가 욕만 얻어먹을지 모른다.

기도 죽고 딱히 보이는 실마리가 없던 차였다. 굽은 허리와 한계까지 접은 어깨가 아파 몸을 피다가 무언가에 정수리를 얻어맞았다. 눈에 뛸까, 악 소리도 못 낸 나는 날 친 것이 무엇일까 보았다. 긴 쇠봉들이 모여 벽면에 용접되어있는 것은 배 위로 올라가는 사다리였다. 밖에서 둘러 볼 수 있는 곳은 다 보았고, 저 위가 유일하게 남은 장소인 것이 분명했다.

조심스럽게 올라탔다. 쇠가 녹슨 소리가 가늘게 울렸고, 심장은 마구 쿵쾅거렸다. 하지만 그도 잠시 어느새 바닷바람이 그 모든 소리를 가려줄 것처럼 거칠게 휘몰아쳤다. 잠시 사다리를 놓칠뻔했지만, 다시 봉을 단단히 붙잡았다. 다시 하늘이 잠잠해진 틈을 타 잽싸게 올라가자 금세 하늘이 보였다. 들킬까 봐 바로 허리를 펴지는 못하고 할아버지의 동세를 살피니 그물을 수선하기에 여념이 없어 안심했다. 옥상 한가운데에 서서 볼에 튀긴 바닷물을 닦아내며 나의 은신처를 바라보았다. 위에서 내려다보니 내가 앉아 있던 시점에는 보이지 않던 구조물이 보였다. 아지트의 뒤편 벽 사이에 방은 아지트 방향으로 창이 나 있었는데 아마 날 지켜본다면 그 건물이 가장 유력했다. 창문에는 사람이 앉아 있었다. 흰 머리의 익숙한 뒷모습은 증조할머니…? 증조할머니는 과거에서부터도 유독 나를 불편해하셨다. 날 지켜보던 시선이 정말로 증조할머니라면 시간을 이렇게 보내는 날 한심하게 보셨을 것이다.

다리에 힘이 풀려서는 자리에 멀겋게 앉았다. 그 순간 옥상 턱 너머로 증조할머니와 시선이 마주쳤다. 눈을 마주한다는 감각은 길 잃은 물고기처럼 정신이 빙글 돌고 멀미처럼 속이 메스꺼운 느낌이었다. 나는 황급하게 숨었다가 아래에서 날 발견한 할아버지의 호통에 서둘러 사다리를 타고 내려가 방으로 들어가 문을 닫았다.

무슨 정신으로 내려와서 신발을 벗고 방문을 닫은 건지, 모든 게 순식간이었다. 정신 차리니 저녁을 먹고 있었다. 입안 가득하게 느껴지는 전갱이의 비린 맛. 놀라서 울고 싶은 건지, 날 지켜보던 것이 증조할머니라는 것에 조금의 기대를 하며 기쁜지, 여러 감정이 입에서의 전쟁이 맛처럼 이리저리 뒤섞여서 설명하기 어려웠다. 일단 양치를 위해 방 밖을 나갔다가 다른 사람을 마주칠까 싶어 서둘러 끝내고 들어왔다. 이불을 정수리까지 덮고 잠들기 위해 노력했다.

거짓말처럼 아침 해가 환하게 떠올랐지만, 입안의 짜고 텁텁한 느낌에 어제의 일이 진짜였다는 것을 분명하게 알 수 있었다. 차라리 거짓말이었으면…. 옥상에서 분명히 마주친 눈이 생각났다. 밖에 나가서 증조할머니를 마주할 자신이 없었다. 그렇다고 아침 양치를 안 한 채로 수영 학교를 빼먹을 수는 없었다. 울상이 된 채로 마른세수를 했다. 무슨 정신으로 옥상에 올랐는지, 애초에 친구에 대한 기대를 않았으면 이럴 일이 없었을 텐데 같은 후회들로 머릿속이 시꺼메졌다. 그러다 보니 어느새 셔틀이 도착할 시간이 다 되었다.

급하게 화장실에 들어가 칫솔에 치약을 짜고 나오면서 증조할머니의 방문을 힐끗 봤다. 세 마디만치 열린 방문 너머로는 주무시는지 인기척 없이 바닥에 깔린 이부자리뿐이었다. 셔틀 배에서 양치를 끝내고 칫솔은 가방에 쑤셔 넣었다. 문득 안심하는 스스로가 경멸스러워 미간을 찌푸렸다. 생각해보면 증조할머니는 그저 방에 계셨을 뿐인데. 동생이든 친구든 허황으로 가득 찬 바람보다 수영 학교를 졸업하는 것이 더 중요했다. 설레발을 치던 스스로가 부끄러웠다.

―

일주일 전의 사건 이후로는 아지트에 가지 않았다. 배에 돌아오면 방에 틀어박혀서 아무것도 하지 않았다. 대신 일주일 전을 곱씹었다.

그날 분명 옥상에서 눈이 마주쳤다. 평소에 지켜보던 시선도 증조할머니라는 것이 분명해졌다. 하지만 날 바라보고 있을 이유는 없었다. 그때부터 괜히 맞은편의 증조할머니 방이 신경 쓰였다.

오늘도 집에 돌아와 조용히 방문을 닫으려는 참이었다. 문틈으로 나를 부르는 소리가 들렸다. 그 순간 사람의 몸도 냉동 참치처럼 뻣뻣하게 굳을 수 있다는 걸 내 몸으로 느꼈다. 그것도 잠시 내 이름이 들리는 건 기분 탓일 게 분명하다고 생각해 마저 문을 닫았다. 그 생각에 반박하듯 내 이름이 한 번 더 들렸다.

조심스레 문을 열어봤다. 소리가 들리는 곳은 항상 세 마디 정도 열려있던 증조할머니 방이었다. 흘러오는 낮고 조용한 목소리는 낯설었다. 나를 찾는 사람이 이 배에 있다니. 다시 내 이름을 부르며 덧붙이는 괜찮다는 말에 용기를 내어 천천히 그 방으로 발을 옮겼다. 내가 마치 고장 난 기계가 된 것 같았다. 문 앞에 도착하니 증조할머니 손에 이끌려 자리에 앉았다. 바닥의 접이식 밥상에는 보리로 끓인 물이 담긴 컵이 두잔 있었고 방에서는 건조한 풀과 마른 가죽 같은 향이 났다.

증조할머니는 컵을 건네시며 말을 이었다. 밖에서 있던 것을 보았는데 날이 차니 방에서 쉬며 같이 있자는 말이었다. 따뜻한 보릿물 덕분이었을까. 낯선 증조할머니의 방이 푸근하게 느껴졌다. 말없이 물을 마시다가 노곤해져 눈을 끔벅일 즈음 증조할머니가 방으로 돌아가라고 하시며 자리를 정리하셨다. 떼어지지 않는 발걸음으로 멍하니 서 있자 내일도 부른다고 하셨다. 증조할머니가 마주 보며 조용히 미소를 지으셨다. 나는 그렇게 방으로 돌아와서는 다시 불러 주시지 않을까 한참을 걱정하다 잠들었다.

걱정이 무색하게 학교 끝나고 돌아오자 증조할머니가 나를 불러 주셨고 보릿물을 마셨다. 다음날도 증조할머니는 나를 부르셨고 나는 또 보릿물을 마셨다. 그렇게 증조할머니가 나를 부르고, 나는 그 방에서 보릿물을 마시는 걸 반복하는 일상에 익숙해질 무렵에 내가 먼저 이 편안한 정적을 깨고 드디어 입을 열었다.

"그…. 증조할머니?"

증조할머니는 창문 너머를 보고 있던 눈을 돌려 나를 바라보셨다. 대화 한번 해본 적 없었지만, 나를 향하고 있는 눈은 푸근해서 뭐든 들어주실 것 같았다. 방에 돌아가 누우면 하고 싶은 말이 정말 많았지만, 항상 입이 떨어지지 않아서 저녁마다 말 거는 연습을 했는데 이번에는 정말 할 수 있을 것 같았다. 풀칠한 듯한 입술을 떼자 말이 줄줄 나왔다.

"제가 원래는 아지트가 있어요. 아, 이게 제가 만든 게 아니라 배구석에서 있는 공간이거든요. 학교 끝나고 맨날 가서 멍 때리는 장소인데요. 제가 멍 때리는 건 그다지 재미있지는 않아요. 할 수 있는 게 멍 때리기 뿐이거든요. "

입을 열어 몇 단어를 내뱉자마자 망했다는 것을 느꼈다. 오랜만에 구사하는 문장이라 단어들은 뒤죽박죽이고, 머리가 새하얗게 되어서 뭘 말하려고 했는지도 기억나지 않았다. 증조할머니는 내가 멍을 때리건 말건 별 관심도 없었을 텐데….

귓불이 시뻘겋게 열이 오르는 게 느껴져 더듬더듬 말을 멈췄다. 증조할머니도 나를 불렀지만 이렇게 엉망진창으로 말하는 걸 듣고 싶진 않았을 것이다. 그동안 혼자 방에서 할 말을 연습한 것들이 무색하게도 준비한 말들은 단 한 문장도 완성해내지 못한 스스로가 너무 한심했다. 증손녀가 이렇게 재미없고 무식한 사람이라 이제 나를 방에 불러 주실지 않을지도 모른다. 아, 또 멍청하게 울음이 나왔다. 한심해….

나는 적막 속에서 바라는 할 말이 생각나지도 않고 쪽팔림과 후회가 가득해 고개만 푹 숙이고 있었다. 두 손만 불안하게 꼼지락거리다가 중간중간에 눈물을 훔쳤다. 그래서인지 시야에 보이는 소매는 전보다 색이 짙었다. 나는 증조할머니에게 무슨 말을 하고 싶었을까. 이제는 아지트에 가지 않는다고? 아지트에 있던 나를 왜 보고 계셨냐고? 쓸모없는 증손녀가 한심하지는 않으시냐고? 이제는 생각이 너무 많아져 머릿속이 새하얬다.

그렇게 시간이 지났을까. 손톱 거스러미를 뜯기 시작했을 때 즈음 주름이 가득한 손이 시야에 들어왔다. 내 손등 위로 천천히 쓰다듬어 주는 손길은 거칠지만 부드러웠다. 곧이어 입을 여셨다. 들리는 증조할머니의 목소리는 생각보다 낮으셨다. 우는 것을 달래시려는 것일까, 아지트 이야기를 꺼내시려나, 옥상의 일을 추궁하시려는 것이려나 하는 생각과는 달리 증조할머니의 입 밖으로 나온 것은 의외의 것이었다.

"이 증조할머니 이름은 이 숨이란다." 나는 증조할머니의 갑작스러운 자기소개에 어리둥절해져서 고개를 끄덕였다.

"저는 김바라예요."

얼떨결에 따라 한 이 단순한 자기소개에 우습게도 마음이 풀리고 울음이 멈춰졌다. 증조할머니는 고개를 돌려 창문을 바라보았다. 시선을 따라 돌리니 창문 너머로 내가 보던 양식장이 보였고 구석에 조그마하게 아지트도 보였다. 아마 내가 쪼그려 앉아 있으면 뒤통수가 보였을 위치였다.

"저기 보이는 게 네가 말한 아지트가 맞을까? 밖에는 바닷바람이 거센데 춥고 외로웠겠구나. 저기선 뭐가 보였니."

증조할머니의 물음에 옥상의 일이 생각나 지레 겁먹어 기어들어 가는 목소리로 그렇다고 답했지만 돌아온 다정한 말에 긴장이 풀린 바라는 아지트 이야기를 풀었다.

"저기는 학교 끝나고 방안에 혼자 있기 싫어서 배를 돌아다니다가 찾은 공간인데요. 증조할머니 말대로 겨울에는 좀 추웠어요. 그래도 주변에 있는 슬레이트를 이용해서 숨으면 바람이 덜 들어서 괜찮았어요."

증조할머니가 야무지게 잘했다고 했다. 인생 처음 들은 칭찬은 간지러웠다. 그래서인지 증조할머니라면 괜찮을 것 같아 고도리 이야기를 꺼내기로 마음먹었다.

고도리 이야기를 다른 사람에게 꺼내는 것은 처음이었다.

"예전에는 거기서 발견한 고등어 한 마리에게 이름 지어줬어요."

고도리를 말로 꺼내는 것은 생각보다 침착하게 할 수 있었다.

"그 녀석한테 제가 고도리라고 이름 지어줬는데요. 녀석은 등에 무늬가 선명한 녀석이었어요. 사실 그 녀석한테 해준 거라고는 그게 전부에요. 몇 번 할아버지의 창고를 털어 물고기 사료를 준 적은 있어도 고도리가 제게 해준 것만 못해요. 고도리는 제 유일한 말동무였거든요. 학교가 끝나면 저는 고도리를 구경하면서 학교 이야기를 털어놓았어요."

이런 이야기를 하는 게 이상해 보이려나 싶어 본 증조할머니의 표정은 온화했다. 나는 안심하며 고도리 이야기를 마저 꺼냈다.

"고도리가 죽은 건 몇 달 되었는데요. 수면 위에 있던 걸 본 게 마지막이었어요. 제가 수영만 좀 할 수 있었으면 뭐라도 해볼 수 있었을 텐데. 제가 아무것도 못 해준 것 같아서…."

눈물이 나오지는 않았다. 다만, 목이 메어서 말을 잊지 못했다. 증조할머니는 말없이 등을 도닥이셨다. 어느새 밤이 늦었는지 부모님이 돌아오는 뱃고동 소리가 들렸고, 나는 이만 방으로 돌아가겠다고 했다. 그렇게 돌아온 방은 유독 허무했다. 고도리가 보고 싶었다. 유독 더 쓸쓸한 밤이었지만 고도리를 밖으로 조금 꺼내준 것 같았다. 뜬금없이 울어버린 탓에 내일 증조할머니가 부르지 않는다면…. 많이 아쉬울 것 같다는 생각을 하며 눈을 감았다.

화창한 아침이었다. 방을 나서며 오늘도 열려있는 증조할머니의 방문을 봤다. 머뭇거렸지만 다녀오겠다고 인사도 드렸다. 조그마하게 들린 다녀오라는 말에 주먹을 쥐며 안심했다. 학교에서는 처음으로 물에 뜨는 것에 성공했다. 새로 들어온 친구와 인사도 했다. 집으로 돌아오니 증조할머니가 밥을 같이 먹자고 하셔서 저녁도 같이 먹었다. 같이 먹는 저녁은 유독 더 맛있었다.

증조할머니는 어제에 이어 고도리와 아지트 이야기를 더 듣고 싶다고 하셨고, 나는 고도리가 수영을 잘해서 부러웠다는 이야기를 꺼내며 학교에서 드디어 물에 뜨는 것에 성공했다는 이야기도 곁들였다.

저녁을 알리듯 울리는 부모님이 돌아오는 고동 소리에 방으로 돌아가며 안녕히 주무시라는 저녁 인사도 드렸다. 잠들기 좋은 날이었다. 내일 아침에 학교에서 더 진도를 나갈 생각과 돌아와서 증조할머니와 또 이야기를 나눌 생각에 마음이 떨렸다.

오늘도 물에 뜨기에 성공해서 돌아오자마자 자랑했다. 그러다 눈에 띤 할머니가 젊었을 때의 앨범을 구경했다. 증조할머니는 어릴 때 본인과 똑 닮으셨는데, 증조할머니는 언니가 나와 똑 닮았다고 하셨다. 보여준 사진은 내 사진인가 싶을 만큼 닮아서 어떤 사람인지 궁금했다. 물어보니 망설이시다가 나의 고도리처럼 그리운 존재라고 하셨다. 밤이 늦어 언니의 이야기는 나중에 해주기로 하고 나는 방으로 돌아갔다.

눈을 뜨자 창문 밖으로 먹구름이 그득한 하늘이 보였다. 등골이 서늘해져 서둘러 벽면의 시계를 보았다. 시계의 시침을 보는 것과 동시에 셔틀 배의 고동이 울렸다. 서두르느라 교복을 입지도 못한 채 가방에 쑤셔 담고 문을 나섰다. 뱃고동이 한 번 더 울리고 할아버지 호통 소리에 급하게 인사하고 나오느라 증조할머니의 답변을 듣지 못한 것이 아쉬웠다. 급하게 셔틀을 타다가 파도에 홀딱 졌었고, 학교에 도착하니 저번에 바꾼 비누가 바닥에 떨어져 있었다. 수업 중에는 어제 물에 뜬 것이 거짓말인 듯 몸뚱이는 다시 맥주병이 되어 가라앉았다.

그냥 빨리 집에 가서 어제 하다만 고도리 이야기를 하고, 증조할머니의 언니 이야기를 듣고 싶었다. 그것 하나로 오늘 하루를 버텼다. 선생님도 안쓰러우셨는지 셔틀을 탈 때 즈음에 주머니에 마른오징어를 몰래 넣어주셨다. 보릿물과 같이 먹기에 건어물은 꽤 좋을 것 같았다.

뼈를 먹는 파도

집의 분위기가 이상했다. 이상하리만치 사람들이 많았다. 항상 세 마디 정도 열려있던 증조할머니의 방문은 그것보다 두 뼘 정도 더 열린 채로 그 어느 때보다 사람이 자주 오갔다. 부모님도 와계셨다. 이유를 묻지 않았지만 알 수 있었다. 증조할머니가 돌아가셨다. 속이 울렁거렸다. 눈시울이 터질 듯 붉어졌지만, 이상하게도 눈물은 단 한 방울도 나오지 않았다.

장례를 돌아가신 방에서 치르기로 하자는 속삭임이 문턱을 넘어 귓속으로 들어왔다. 올법한 어른들은 다 왔으니까 전문 장례지도사를 부를 필요는 없다는 것이었다. 방 안의 대화 중 오롯이 슬퍼하기만 하는 이가 없었다. 속으로 매정한 사람들이라며 중얼거렸다. 동시에 아직 교복 차림이라 다행이라고 생각하는 나도 별반 다를 게 없다고 생각했다. 방안에서 엄마가 나오며 증조할머니께 마지막 인사를 하라며 방에 들였다. 나의 마지막 절이 끝나고 고인의 수습과 화장준비가 빠르게 진행되었다.

나는 방에서 빠져나와 선미(船尾)로 향했다. 고인의 화장을 위한 배가 바로 옆으로 정박하고 증조할머니가 옮겨졌다. 유독 바닷바람이 거칠고 쌀쌀했다. 주변의 웅성거리는 모든 소리에서 거리감이 느껴졌다. 검게 물든 파도가 일그러지며 발목께를 넘어 무릎 언저리로 흩뿌려졌다.

갈매기 다섯 마리는 어디서 소식을 들은 것인지 구슬프게 울며 조문을 왔다. 오늘 선생님께 받아 교복 주머니에 넣어둔 것을 꺼냈다. 쌀쌀한 날씨임에도 품에 있던 덕에 온기가 남아있었다. 증조할머니와 나눠 먹으려고 했던 오징어 조각을 떼어 던지자 갈매기들은 재빠르게 잡아챘다. 그에 한 뼘만 한 것은 금세 동났다. 갈매기들은 손에 더 없는 것을 확인하자 조타실 지붕에 앉아 끼룩거렸다. 그것이 이 배에서의 유일한 울음소리였다.

한 시간 정도가 지났을까. 아빠가 유골함을 들고 넘어왔고, 화장을 맡은 배는 할 일을 다 해 정박을 풀고 떠나갔다. 유골함을 따라 움직이던 시선들은 선미에 유골을 뿌리는 것을 보다 묵념했다. 나는 증조할머니에게 하고 싶은 말이 생각나지 않았다. 다들 무슨 말을 하고 있을까 싶어 올린 눈에는 들썩거리는 어른들의 등이 보였다. 그제야 울음을 참고 있었을 뿐이라는 걸 알았다.

뿌연 구름을 배경으로 증조할머니의 새치처럼 흰 유골이 바람에 날렸다. 포물선을 그리며 선박 아래로 흩뿌려진 뼛가루들은 수면에 맞닿자 잡아먹히는 것 같았고 동시에 배 아래에서 어슬렁거리던 치어들이 몰려들었다. 파도는 배가 고픈 듯 거품 이빨로 미처 다 녹아들지 못한 뼈들을 집어삼켰고 그러고도 모자랐는지 입맛을 다셨다.

저 바다의 뱃속에는 고도리도 증조할머니도 증조할머니의 언니도 있을 텐데…. 나만 이 수면 위에 살아있는 것 같아서 쓸쓸했다. 파도가 내 마음처럼 미련을 남기듯 튀어 올라서 사람들의 발치를 훑고 지나갔다. 선박이 크게 흔들리는 날씨로 변하자 사람들은 급히 안으로 피신했고 나도 물살에 휘말리듯 방으로 들어왔다.

바닥에 드러누워 창문을 바라보는데 방이 유독 크게 느껴졌다. 남겨지는 건 익숙하지만 항상 쓸쓸한 일이라는 걸 곱씹었다. 어느새 목이 말라 물을 마시러 거실로 향했다. 증조할머니의 방에서는 유품을 정리하는지 어른들이 안에서 수군거렸다. 물을 마저 마시고 방에 들어가려는 중 귀를 의심했다. 안타깝지만 다행이라니. 그대로 두 발이 배에 뿌리를 내린 듯 굳어버렸다. 방에서는 아무도 그 말을 멈추거나 부정하는 말이 들리지 않았다. 오히려 수긍하는 듯한 말만 오고 갔다.

이 배의 모든 공간이 나를 짓누르는 듯했다. 마치 물고기가 된 것처럼 공기 중에서 숨을 쉴 수 없었다. 심장이 펄떡이는 건 느껴지는데 그게 너무 시끄러웠다. 모두에게 화가 났다. 어떻게 사람이 죽었는데 다행이라는 말이 나오는 거지. 문을 열고 마구 소리 지르고 싶었다. 이건 아니다 싶어 문을 열고 들어서려던 중 가계가 어려워졌다는 말이 이어졌다. 문틈 사이로 붉어진 눈으로 일을 늘리겠다는 아버지와 어머니가 보였다.

문득 그런 생각이 스쳐 지나갔다. 나도 죽으면 저런 반응이려나. 사실 그렇지 않은가 이 집에서 가장 식충이 같은 존재는 나였으니 내가 죽으면 다들 더 마음 편하려나. 너무하다는 생각을 했다. 상처 주는 말을 하는 이들도, 돌아가신 이를 대변하지 못하는 나도.

저 문을 박차고 화를 내지 못하는 이유는 내가 그럴 자격 없는 사람이기 때문이다. 그게 너무나도 절망스럽고 역겨웠다. 이렇게 살아가는 모두가 역겨웠다. 그중 스스로가 제일 역겨웠다. 다들 열심히 살아가려는 와중에 내가 가장 쓸모없었다. 분명 다들 죽음에 슬퍼하는 와중에도 살아가기 위해 위안하고 있는데 나는 아무것도 못 하는 와중에 남 탓만 하는 게 부끄러웠다.

나는 이 이상 아무것도 듣고 싶지 않았다. 후들거리는 다리로 간신히 방에 들어와 조용히 문을 닫았다. 문 넘어 새어 들어올 소리조차 듣고 싶지 않아 이불을 뒤집어썼다. 배가 일렁일 정도로 크게 파동치는 파도가 창문에 마구 튀었다. 눈에서도 물이 흘렀고 속은 부대꼈다. 뭐든 마구 토해내고 싶은 기분에 창문을 열었다. 창문을 마구잡이로 열어서는 파도를 크게 토해내는 바다를 마주했다. 나는 창문 턱을 넘어 아지트로 향했다. 나를 숨겨줄 곳은 내 앉은키만 한 판자로 만들어진 아지트뿐이었다.

아지트에 앉아 뒤를 돌아보니 작은 틈으로 증조할머니 방의 창문이 보였다. 어른들은 바닥에 앉아 계신지 정수리만 둥글게 보였다. 다시 울렁이는 속에 양식장으로 기어가 속을 게워 내려 했지만, 아무것도 나오지 않았다. 숨을 가파르게 내뱉으면서 멍하니 떨군 시야에 고등어 떼들이 보였다. 거친 파도 속에서 빙글거리며 더 깊은 곳으로 도망치는듯했다. 그중 약한 녀석이 무리에서 떨어져 휘청거리며 간신히 따라가고 있었다. 그게 마치 나 같았다. 저렇게 살아야만 하는 걸까. 사는 게 저런 걸까.

맨 뒤의 녀석이 힘을 내어 무리에 합류했다. 다행이라는 생각보다 남겨진 기분이었다. 같은 신세라고 생각했던 내가 바보 같았다. 나는 생각보다도 더 뒤떨어진 놈이었구나. 사실이 그랬다. 못하는 것에 지쳐버려서 남 탓만 하고 있다. 발치의 떡밥 통을 보며 그런 생각을 했다. 난 차라리 고등어 밥이 되는 게 낫겠어. 그게 스스로 낼 수 있는 최선의 쓸모였다.

고등어 밥. 그 단어는 그날부터 뇌리에 박혀 평생에 지니고 살아가게 되는 저주 같은 단어였다. 나는 살아가며 최악의 상황이 올 때마다 고등어 밥이 되는 상상을 했다. 그 단어는 나의 마지막 밧줄이었고, 마음을 편하게 만드는 기이한 힘이 있었다.

나는 일어나 홀린 듯 양식장으로 걸어가다가 세 뼘 정도를 남기고 걸음을 멈췄다. 스스로 그렇게 비관하면서도 살고 싶었던 것일까? 아니면 무의식적인 생존 본능이라는 게 그만한 힘을 가지고 있던 것일까. 혹은 증조할머니가 항상 열어둔 세 뼘 만한 문틈이 어떠한 주술적인 작용을 한 것일지도 모른다. 그렇게 멈춘 걸음에 일순 모든 용기가 사라져 방으로 다시 돌아갔지만, 그날 고등어 밥도 뇌리에 박혀 내 머릿속으로 스며들었다. 그리고 그 이후로 나는 또다시 습관처럼 아지트에 다니곤 했다.

아직도 학교에서는 물에 간신히 뜨는 게 한계였다. 집에 돌아오면 아지트에 들려 양식장을 바라보는 걸 최근에 할아버지께 들켰다. 한소리를 들을 줄로만 알았는데 날 조용히 바라보다 떡밥을 쥐어주셨다. 그 이후로는 학교 끝나고 돌아오면 정량의 떡밥을 뿌리며 멍하니 양식장을 바라보는 것이 일상이 되었다. 이렇게 배에서 내가 할 일이 생기기를 바랐던 것에 비해 생각보다 아무 감흥도 들지 않았다.

떡밥을 던지며 제 몸도 던져버리고 싶은 기분만 문득 들었다. 하지만 고등어도 이런 나를 먹고 싶지 않을 거란 생각으로 살아갈 수 있었다. 그게 고등어 밥이 주는 역설적인 힘이었는데 왜 그런 것인지는 아직도 모른다. 그냥 습관처럼 파도를 보면 내 몸도 같이 던지고 싶었고, 떡밥을 던지며 고등어 밥을 되뇌었다.

언제부터인가 머리에 새치도 나기 시작했는데 그건 왜인지 증조할머니와 고도리가 제 머리에 흔적을 남기는 것만 같아서 기분이 좋았다. 새치가 꽤 나기 시작하자 학교의 다른 사람들은 내 머리를 보고는 얼룩말 같다고 수군거렸는데, 나는 특히 머리의 얼룩이 고도리의 줄무늬 같아서 딱 좋다는 생각을 했다. 그래서였는지 그즈음부터 새치의 범위가 더 넓어지지는 않았다. 그리고 나는 내 생각이 더 마음에 들어 다른 사람의 말은 신경 쓰이지 않았다. 그냥 그렇게 별생각 없이 지내니 좀 괜찮은 것 같았다.

머리 때문인지 태도 때문인지 그나마 말을 걸던 학교의 사람들조차 나를 모른척했다. 이제는 딱히 쓸쓸하지도 않아서 별 감흥이 없었다. 장례 이후로 내 기분도 날씨도 우중충한 상태가 지속 되었다.

잿빛의 하늘에 감정과 바다가 감응하듯 어두웠다. 파도만 뼈를 머금은 듯한 흰 거품을 물었다. 할머니와 고도리를 잡아먹은 바다는 더 거칠어지고 거대해졌다. 그런 것을 보면 아마도 파도는 세상의 뼈들을 먹으며 몸집을 키워가는 게 아닐까 싶다.

고등어 사건

오늘도 습관처럼 일어났다. 셔틀을 타고 학교에 가서 지지리도 못하는 수영을 하다가 다시 셔틀을 타고 돌아오면 양식장에 떡밥을 던졌다. 그리고 평소처럼 고등어 밥을 생각하고 있었다. 오늘의 특이점이라면 저 멀리 있는 줄 알았던 먹구름이 눈 깜박할 순간에 코앞까지 몰려왔다는 것이다.

거친 바람과 파도가 마치 증조할머니가 돌아가신 날 같았다. 이번에는 방에 들어가지 않은 채 온몸으로 파도를 맞이했다. 온 사방에서 바닷물이 흩뿌려지는데도 방으로 가야 한다는 생각이 들지 않았다. 짭짤하고 차가운 파도가 잡아먹으려 다가와 주는 것인가 하는 생각이나 했다. 그 생각이 지레 웃겨 혼자서 웃었다. 이 상황에서 이런 농담이나 생각하다니 머리가 돌아버린 것이 분명하다. 거센 파도에 소리가 묻혀 실컷 웃거나 울 수 있다는 것을 즐겼다. 그 생각을 하니 또 실컷 울어 볼 수 있을 것 같았다. 그래서 이번에는 방구석에 박혀 사는 내 삶을 비관하며 울어보았다.

웃다 우는 것도 지쳐서 멍하니 파도를 바라봤다. 내 혼란스러운 감정선 마냥 검푸르게 돌고 있는 소용돌이 너머로 점박이들이 보였다. 점점 다가오는 그것들은 물고기 같은 유선형의 모양이었다. 고도리가 마중이라도 왔으면 좋겠다고 혼잣말을 했다. 마구 휘몰아치는 파도에 무슨 생선인지 분간이 어려워 눈을 찌푸리며 허리를 내리는 순간이었다. 휙 뺨 옆으로 지나가는 것이 보였다. 흰자 안에 그보다 작은 검은 동공. 고등어 눈이었다. 반들거리는 것 속에 내가 잠긴 듯한 기분이 들었다.

그 순간, 거대하게 올라온 파도를 탄 고등어 떼들이 뛰쳐나오며 나를 덮치기 시작했다. 나에게 몸을 던지는 덩어리들을 온몸으로 맞이하는 것은 아프고 또 아팠다. 살면서 그런 고통을 육체적으로 겪어본 순간이 없어서 비교할 수 있는 고통도 없었다. 그저 오롯이 고통스러웠다. 그 한순간에 파도에 미끄러져 바다로 끌려들어 가다시피 빠졌다. 멀리서 누군가가 나를 부르는 소리가 들렸다.

아마 그러고 정신을 잃었을 것이다. 시야가 흐렸다. 분명 커다란 고통이 있었는데 이상하리만치 편안했다. 마치 수영 시간에 가라앉은 채로 숨을 쉴 수 있다면 이렇게 느껴지지 않을까 싶었다. 이부자리에 누운 것처럼 좌우로 몸을 흔드니 자연스럽게 앞으로 유영하는 느낌이 들었다. 수영은 이런 느낌일까 생각할 즈음 옆에 물고기가 보였다.

작고 익숙한 모양의⋯ 치어? 그것은 고등어를 닮은 치어처럼 보였다. 신기하게도 내가 움직이는 것과 비슷한 속도로 나아갔다. 무슨 볼일이 있나 싶어서 치어를 바라보니 치어도 몸을 바로 하고 나를 바라봤다. 그것이 입을 뻐끔거리는 것 같은데 소리는 들리지 않았다. 가까이 다가가려 하자 뭔가에 부딪혔다. 가만히 있으니 점점 멀어지는 듯 흐려지는 치어의 모양새에 눈을 비비려고 하는데 팔이 올라오지 않아 꿈인가 싶었다. 몸을 마구 흔들었다. 자연스러웠지만 이질적인 느낌이 느껴져 꿈을 꾸고 있다는 것으로 결론을 내릴 즈음이었다.

검은 것이 둥글게 멀어지면서 주위에 푸른 빛이 보였다. 검은 배경은 고래의 눈이었다. 믿기지 않아 몸을 흔들어 다가가자 아까 멀어졌던 맞은 편의 치어가 그 안에 있었다. 내가 얼어붙자 그것도 마찬가지로 굳었다. 고래의 눈을 거울삼아 나를 본 것이었다. 혹은 꿈이거나. 그게 나의 이성이 판단하는 합리적인 사고였다.

나는 믿을 수 없는 기묘한 상황에 놓였으나 그냥 흐르는 물에 몸을 맡겼다. 이곳은 바다였다. 멀어지는 고래의 거대한 지느러미가 내 머리 위를 지나는 것이 구름 같았다. 그 거대함은 눈에 다 담지 못할 정도였다.

물살에 몸을 맡기다가 해류에 휩쓸려 그 주위에 있던 고등어 떼에 끼게 되었다. 사방이 고등어로 가득 차 정신이 없었다. 내가 보이는 저것들과 같은 고등어라니. 믿기지도 않을 어이없는 상황이 꿈 치고는 감각이 세밀했다.

헤엄을 쳐야 한다고 생각하자 아무것도 할 수 없었다. 다른 고등어에 맞듯이 부딪혀 몸이 아팠다. 도망치고 싶을 무렵에 고등어 떼 사이로 익숙한 고등어와 눈이 마주쳤다. 녀석은 조용히 나에게서 다가와 지느러미를 맞대고는 천천히 움직였다. 옆에서 박자를 맞춰주어서인지 나도 다시 감을 찾을 수 있었다. 둘이서 자연스럽게 아래의 암초로 빠져나왔다. 숨돌리고 다시 바라본 녀석은 익숙하고 그리운 녀석이 생각났다.

"고도리...?"

입 밖으로 내뱉은 단어도 음성이라기보다는 울림이나 텔레파시에 가까웠다. 내 상식으로는 원리를 이해하기 어려운 발성이었다. 고등어는 싱긋 웃었다. 표정이 없는 물고기이지만 상냥하게 웃어주고 있는 것처럼 느껴졌다. 발음이라기보다 머릿속에서 울리는 것 같았다. 내용이 단어로 전달되는 것이 아니라 대강의 의미나 감정을 담아서 울리는 듯한 느낌이었다.

"아니기도 하고 맞기도 하단다. 이 일부는 네 증조할머니이기도 하고 고도리의 이름을 가진 고등어이기도 하지."

아… 고도리…. 증조할머니…. 형용할 수 없는 감정이 댐이 터지듯 흘렀다. 그토록 보고 싶었다는 걸 말하고 싶었다. 울음이 터진 나를 조용히 바라봐주는 시선에 진정하며 기뻐했다. 그래봤자 이 몸으로는 버둥거리는 것이 최선이었지만 나는 그 최선을 다해서 버둥거렸다.

사람의 것이 아닌 몸이었지만 그토록 원했던 수영을 자유자재까지는 아니었지만, 가라앉아 죽지 않을 정도로는 할 수 있었고, 무능함에 대한 압박에서 벗어날 수 있었다. 또 왜인지 고등어가 된 증조할머니도 볼 수 있었다. 아 나는 죽었구나! 여기가 사후세계라는 것이구나! 싶었다. 이 생각은 어쩌면 당연했다. 나는 신난 목소리로 죽은 이후의 이 삶이 안락하게 느껴진다고 고등어에게 말했다. 그러자 녀석은 고개를 저었다.

"아가, 너는 여기에 계속 있을 수 없단다. 나는 네가 말하는 증조할머니와 고도리라고 소개할 수는 없어. 단지 그 죽은 덩어리일 뿐이란다. 나는 그저 네 증조할머니인 그녀가 남긴 이야기를 전하려고 왔어. 네가 마침 이 경계에 들어왔기에 만날 수 있던 것이야. 우연의 틈이란 말이지. 또한, 너는 죽지 않았단다. 너는 지금 잠시 허상의 몸을 빌린 것이기에 다시 네 몸으로 가야 해. 나는 단지 너의 생사의 틈새로 왔을 뿐이고 너를 제자리에 다시 돌려 둬야 해."

이 모든 비현실적인 상황보다 다시 위의 현실로 올라가야 한다는 말 한마디에 머리가 멍해졌다. 그래, 솔직해지자면 나는 물 위로 올라가기 싫었다. 내가 사랑하는 것들을 잃은 삶을 이어야 한다는 게 끔찍하게도 싫었다.

피부로 느끼는 삭막한 공기가 혐오스럽고 그 속에서 숨 쉬며 살아가는 것이 버겁다. 증조할머니와 고도리는 그 덩어리의 일부에 불과하지만, 나에게는 그 흔적이 기꺼웠다. 그게 고도리와 증조할머니라고 믿으며 여기에 있고 싶었다. 몸뚱이가 흔들릴 정도로 고개를 돌리질 치며 상관없다고, 여기에 계속 있겠다고 떼를 썼다. 없는 동생을 바랐던 것보다 누군가를 잃는 감각으로 돌아가야 하는 것이 더 끔찍해서

196

필사적으로 도리질 쳤다.

"아냐, 난 원래도 멍청해서 위에서 별 쓸모도 없는 사람이야. 여기에서는 헤엄도 칠 줄 알고 당신도 있는걸. 고도리와 증조할머니가 당신의 일부일 뿐이라고 해도 괜찮아. 위로 올라가고 싶지 않아. 차라리 죽여줘! 그렇게 살고 싶지 않아. 난 여기에 있고 싶어. 이곳이 내가 원하던 이상적인 곳인걸. 난 올려준다고 해도 분명 다시 뛰어내릴 거야. 제발…."

간절하게 올려보았다. 잔인하게도 마주친 눈에 답이 정해져 있다는 것이 느껴졌다. 다정하지만 단호하게 거절당했다. 나도 더는 고집부리지 못하고 입을 다물었다. 고도리와 증조할머니가 듣기에는 심한 말을 뱉었다는 생각이 들어 조용히 미안하다고 웅얼거렸다. 하지만 다시 올려 보내진다고 해도 나는 다시 돌아올 것이 분명했다. 여기에서는 위의 삶보다 훨씬 행복할 것이라는 생각에 변함은 없었다. 위에서의 삶에서 벗어나는 어느 곳이든 적어도 삶의 고통을 덜 수 있다는 것에 충분히 만족했다. 게다가 고도리와 증조할머니가 같이 있기까지 한 공간에서 벗어나고 싶지 않았다.

안쓰러운 눈으로 거북이가 입을 열었다. 그는 이야기를 진행하려 했다. 이야기가 끝나고 올려질 걸 생각하자 그의 주둥이를 틀어막고 싶었다. 하지만 머리로 울리는 이야기는 소용없다는 것을 느끼게 했다.

"옛날에, 이 솜이라는 사람이 있었어."

야속하게도 시작되는 이야기에 그를 애타게 바라보았지만, 그는 개의치 않고 말을 이었다. 증조할머니를 닮은 울림이 잔잔하게 느껴졌다. 나는 그제야 체념하며 고개를 내렸다.

"그녀가 살던 세상에서 육지가 있을 때의 개인적인 이야기란다. 스쳐 지나가는 물살이 우연히도 속삭이는 이야기라고 생각하면 돼. 아

197

가, 지금의 너 또한, 순간의 불과하지만 그렇다고 무가치한 것은 아니야. 나는 죽음을 존중하는 만큼 삶도 존중하기에 이곳에서 네가 원하는 것을 도와줄 수는 없단다. 다시 올라가는 것에 큰 고통을 느끼지 않았으면 좋겠어. 네가 고통스럽지 않기를 바란단다."

나는 다문 입에 힘을 주며 이런 꿈이 제일 잔인하다고 생각했다. 악몽 같은 현실보다 차라리 천국 같은 꿈에서 사는 것이 나았다. 이런 곳을 알려줘 놓고 살아가라니. 무통의 세계에서 벗어나 고통을 맞이해야 하는 이에게 하는 말이 '고통스럽지 않기를 바라다'라니 내 속도 모르는 말이었다. 나는 그저 그 모든 말을 마음에만 담은 채 고등어가 흘릴 일 없는 눈물만 줄줄 흘렸다. 다시 이어가는 이야기를 의지 없이 듣는 와중에 한가지 위안이 된 것은 울림이 증조할머니의 어투와 닮았다는 점이었다. 원망스럽고 슬픈 와중에도 그 울림이 좋았다.

어느 순간, 마치 꿈속에서 시공간이 이동할 때처럼 시야가 뿌예졌다. 전달되는 내용이 보다 보기에 가까워졌다. 영상물보다 현실적이고 정말 꿈 같은 장면의 전환처럼 배경이 바뀐 것이다. 육지로 추정되는 땅이 보였다. 설명되는 이야기에서는 한 인물의 실종이 있었다. 땅에는 그 인물을 찾는 젊은 여자가 보였다. 익숙한 느낌이라 가까이 가니 그 사람이 증조할머니의 젊을 때라는 것을 알 수 있었다. 사진으로 보았던 증조할머니의 젊은 모습이 반가워 그녀에게 가까이 다가갔더니 자석처럼 그 몸에 빨려 들어갔다. 그와 동시에 그녀의 시야와 생각을 알 수 있었다. 나는 이 솜의 일부가 되었다.

–

언니는 어딘가 의뭉스러운 사람이지만, 어릴 적에는 나와 말장난도 나누던 사이었다. 언니는 분명 상냥했지만 나이 들고 나서는 거리감이 느껴지는 사람이 되어있었다. 어딘가 훌쩍 떠날 사람처럼 군다고 느껴 그게 못내 불안했다. 내 감이 헛된 것이 아니었는지 어느 순간 언니는 모든 연락을 끊고 사라졌었다. 언니가 사라지고 느낀 것은 나는 언니의 아무것도 모른다는 것이었다. 언니를 찾지 못하는 날이 길어지면서 부끄러움을 느꼈다. 혈연으로 언니에게 의지했지만 정작 의지할 곳이 되어주지 못해 슬펐다.

사진사인 언니가 눈이 엉망이 된 채로 다시 나타났을 때는 슬펐지만 그래도 의지할 곳이 되어줄 수 있어 안심했다. 하지만, 그 모든 게 꿈이었던 것처럼 언니는 다시 사라졌다. 동네 언덕이나 마을 구석구석을 뛰어 찾으러 다녀 호흡이 벅차오르는 것이 느껴졌다. 목구멍에서 피 맛이 감돌아도 다리를 멈출 수는 없었다. 늦은 시간에 아픈 눈으로 언니가 사라졌다는 것이 아주 불안한 징조처럼 느껴졌다. 마치, 지금 언니를 찾지 않으면 영영 만날 수 없을 것 같은…. 불안한 마음을 억누르기 위해 나는 다리를 더 빨리 놀리는 수밖에 없었다.

집 밖의 마을 모든 곳을 돌았다. 하늘에서는 언니 이름을 부르는 마을 방송이 들렸다. 문득 집으로 돌아왔을지도 모른다는 생각이 들어 방향을 틀었다. 도착해서는 신발을 던지듯이 벗고 급하게 언니 방에 들어섰다. 창문이 열려있던 방은 써늘했고, 잘 개어져 있는 이부자리 위에는 언니가 만들던 테라코타가 있었다. 이불 모양을 본뜬 그것을 들어 올리자 거칠게 뜯은 자국이 남아있는 누런 줄 노트 한 장이 있었다. 삐뚤빼뚤한 글씨로 유. 서. 그 두 자 말고는 아무 글도 적혀있지 않았다.

아, 언니는 야속하고 잔인했다. 그 뒤로 얼마 지나지 않아 경찰이 연락해왔고, 눈을 뜨니 언니의 장례를 치르고 있었다. 어제까지 있던 언니가 몇 시간 만에 세상에 없는 사람이 되었다. 포근함을 가장한 마른 흙덩이가 언니의 유품이라니. 속으로 언니는 정말 너무한 사람이라고 중얼거렸다. 갑작스럽게 저를 찾아와 집으로 돌아온 언니가 불안해 보였었다. 그래도 내 작업실에서 테라코타를 하며 새 의욕을 찾는 것에 안심했던 스스로가 머저리 같았다. 죽는다는 것이 너무 허무했다.

언니는 다정한 사람이었다. 조용하게 미소짓던 언니의 마지막 미소를 다시 보고 싶었다. 언니가 웃지 않아도 좋았다. 언니가 다시 살아 돌아왔으면 좋겠다고 생각했다. 익사한 언니는 생기가 없는 것 말고는 죽었다는 사실이 별로 믿기지 않아 자연스럽게 인사할 수 있을 것 같았다. 하지만 이제는 내가 할 수 있는 게 없다. 힘이 빠져 모든 의욕이 사라졌다.

그 영향으로 내 개인적인 작업도 멈춘 채로 방에 틀어박힌 채로 지냈다. 방에서는 언니가 유품을 두고 간 이부자리에 누워서 울다가 자다가, 언니가 떠난 방을 부정하며 울다가, 지쳐서 천장을 바라보며 넋 놓다가 아직 언니의 체취가 남아있는 방이 슬퍼 또 울다가 기운이 빠져 죽은 듯 잤다. 언니의 흙덩이 이불은 내 울음에 축축해졌다가 마르기를 반복했다. 평소처럼 일하러 나가는 부모님이 원망스럽기도 했다. 죽음에 대한 내 태도가 별난 것인지 고민하다 결론 내리기를 포기하고는 또 잤다.

굶어 죽을 것 같다고 느낄 때 정말로 죽는 것도 언니를 잊는 유일한 방법이겠다고 생각했다. 다들 일상을 살아가는데 왜 나만 유독 예민하게 구는 것인지 생각하다 보면, 고통의 원인은 나였다. 죽음은 언니뿐만 아니라 내게 기억된 세상의 모든 고통을 잊을 수 있을 것이라는 생각이 들었다. 살아있어서 느끼는 감각이 너무 고통스러웠다. 이 고통을 공감해줄 사람이 없어 외로웠다. 언니도 그렇게 생각했던 것일까? 이 고통에서 빠져나오려는 방법이었던 것일까.

위험한 생각에 빠져들었다. 무슨 의지였는지 며칠을 박혀있던 방에서 곧장 나와 걸었다. 집 앞바다를 향해 걷고 또 걸었다. 숨을 쉬는 것을 멈추고 싶었다. 바닷물을 몬 몸으로 휘저으며 안으로 들어가기 위해 애를 썼다. 파도에 밀려 뭍으로 쓸려나갔다가 다시 걸었다. 수영하는 법을 몰라 겅중거리며 바다로 들어가던 중 잔잔했던 파도는 무슨 이유에서인지 점점 거대해지기 시작했다.

미친 듯 걷다가 발 쪽에서 강력한 통증을 느껴 고개를 숙였다. 바닥의 현무암 사이에 발이 끼어 더 나아갈 수 없었었다. 발을 빼내기 위해 허리를 내리자 돌 틈에 끼인 작은 고등어 새끼 한 마리가 보였다. 그것이 안쓰러워 녀석을 먼저 보내주고 보니 물이 만조가 되어있었다. 거센 파도가 올라가면 몸을 곧게 펴도 호흡하기 어려운 상태였다. 고개를 들어야지만 한 번씩 숨을 들이마실 수 있었다. 그제야 선명하게 공포가 느껴졌다. 까치발로 돌에 살이 쓸려가며 둔해졌던 감각들이 선명하게 느껴졌다. 폐의 공간을 느끼고 밭은 숨을 내쉬며 진심을 알 수 있었다. 아, 나는 살아남고 싶었다. 고통은 어쩌면 살기 위한 몸부림일지도 모르겠다는 생각이 스쳤다. 아프기 위해 사는 것은 아니지만 살아있는 게 꼭 아프기만 한 것도 아니었다. 그걸 이제야 떠올렸다.

숨이 부족해 시야가 흐려졌다. 그 순간 기억 속에서 한 사람의 이름이 떠올랐다. 바라…? 증손녀의 이름이다. 아, 이곳은 꿈이구나. 죽기 전 삶의 모든 이야기가 파노라마처럼 지나가는 것처럼 과거의 모든 것이 떠올랐다. 하지만, 자각과는 별개로 꿈을 멈출 수는 없었다.

바라에게 언니의 이야기를 아직 해주지 못했다는 것이 생각났다. 바라는 참 언니를 닮다. 저녁 파도처럼 검은 머리카락과 항상 입꼬리에 달린 미소 같은 외적인 모습도 다시 태어난 것처럼 닮았다. 심지어 훌쩍 떠날 것 같은 분위기까지 닮았다. 그게 못내 슬퍼 거리를 두었다. 바라를 보고는 언니를 닮았다며 울지 않을 날을 연습했다. 그저 지켜보기만 했다.

어느 날 바라가 제 시선을 눈치챈 것인지 이리저리 다니며 저를 찾는 게 느껴졌다. 아지트라고 만들어둔 초라한 장소에 뒤통수를 맞은 것 같았다. 혼자 남겨진 채로 우울한 표정으로 있는 모습이 언니뿐만 아니라 나도 닮았다는 것이 보였다. 뻔한 사실이지만, 바라는 언니가 아니었다. 단지 어린 증손녀였다. 배 위의 삶을 살아가야 하는데 아직 수영도 채 하지 못하는 어린 아이는 어른들 속에서 외롭게 살고 있었다. 그게 이불에만 파묻혀 지내던 내가 생각나 안쓰럽고 미안했다. 제 눈치를 보며 방으로 들어가려는 아이를 방으로 불렀다. 많이 늦었지만, 말동무라도 해주기 위해서였다. 그때의 이불 속 나는 그게 가장 필요했으니까.

숨이 막히는 탓에, 고개를 들어 올렸다. 우중충한 회색 구름 탓인지 바다도 시꺼멓게 보였다. 거친 바람 탓에 파고가 높아져 큰 파도가 벽처럼 느껴졌다. 뭍으로 밀어내던 파도의 흐름도 어느 순간 바뀌어 나를 잡아먹으려 들었다. 코로 들어오는 물이 고통스러웠고 발은 아팠다. 팔은 어떻게라도 벗어나기 위해 허우적거렸다. 그제야 알 수 있었다. 살고 싶었다. 처절하지만 그렇게라도 숨을 쉬고 싶었다. 찬물에 몸은 저체온으로 떨려오는데도 눈가는 뜨거웠다. 울음이 터져 나오면서 다 쉰 목소리로 듣는 사람도 없는 곳에서 살려 달라고 외쳤다. 단어가 목구멍을 벗어나니 생생하게 느낄 수 있었다. 나는 살아남고 싶었다. 그 순간 퓨즈가 나간 것처럼 시야가 꺼졌다.

이야기의 여파로 같이 숨이 조여오던 바라는 어느 순간 막혀오던 숨이 풀려 겨우 눈을 뜰 수 있었다. 몸을 잡아주는 고등어의 지느러미에 기대 진정하며 숨을 내쉬었다.

"이게 증조할머니의 마지막 이야기라니, 끔찍하기 짝이 없잖아…."

난감한 표정의 그는 어쩔 수 없었다는 말과 함께 이런 내용인지는 몰랐다고 했다. 내 숨이 완전히 진정되었을 때 녀석은 나를 보더니 그녀의 마지막 이지를 보고 느낀 것이 있는지 물었다. 하지만 나는 진정하자 든 생각은 온통 위로 올라가고 싶지 않단 생각뿐이었다. 여전히 살아있기 때문에 고통을 느낀다는 견해는 바뀐 것이 없었다. 그나마 구체화를 한 것은 아프게 죽고 싶지 않다는 것이다.

순간 지금 느낀 걸 말해주지 않는다면 계속 여기에 있을 수 있지 않을까 싶어 입을 다물었다. 간과했던 것은 이곳의 소통수단이 말이 아니라는 것이었다. 아차 싶어 위를 보니 고등어는 상처받은 표정을 하고 있었다. 슬픈 울림이 전해지는 것과 동시에 그는 증조할머니에게는 신세를 졌다고 전했다. 그리고는 잔잔해서 친절하다고 느꼈던 울림이 무심하게 용무가 끝났음을 알렸다.

물 위로 올라가게 등으로 밀어 올리는 그를 온 힘을 다해 피하며 심해로 내려가려 하자 그가 무언가를 불렀다. 온 바다가 꿀렁거리며 내 이름을 불렀고 심해의 어둠이 어딘가로 뭉치더니 거대한 고래로 형태가 모였다. 나를 향해 입을 벌린 그 거대한 몸이 점점 다가왔다. 공포로 숨이 먹는 것 같았다. 입이 닫히려는 순간에 뒤를 돌아서 도망치려 했지만, 그와 동시에 고래는 물살과 고등어 떼로 바뀌었다. 마구 부딪치는 고등어들 사이 탈출구를 찾으려 했지만, 시야에 보이는 건 얼룩진 등과 흰 배, 지느러미가 전부였다. 작은 틈을 발견한 순간 나는 수면 위로 밀려 올라와 있었다. 희게 작열하는 공간은 아주 거칠고 뜨거웠다. 눈부심에 눈을 질끈 감았고 그렇게 바닥으로 내쳐졌다.

눈을 감으면 흰색도 검은색도 아닌 채 얼룩덜룩한 회색이 보인다. 멀리서 내 이름이 들렸다. 그 소리가 점점 가까워지더니 귀 옆에서 들린 순간 일렁이던 시야도 선명해졌다. 눈이 잔뜩 붉어진 부모님의 얼굴이 보였고 주변에도 할아버지와 할머니가 소란스럽게 무언가를 대화하셨다. 대강의 단어로는 내 이름, 괜찮다, 파도가, 수영을 이라는 내용이 들렸다. 고개를 돌리니 보이는 바다는 아직 거칠었지만 나를 뒤덮던 정도의 것은 없었다. 다행이라는 듯 껴안는 부모님의 품은 따뜻해서 모든 게 꿈이었나 하는 순간. 시야에 파닥이는 고등어 너덧 마리가 보였다. 배 구석의 그 고등어는 튀어 오르더니 검은 바다로 돌아갔다. 나는 그 고등어가 사라진 자리에서 눈을 뗄 수 없었다.

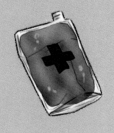

아홉 번째 : 혈액팩

흡혈귀의 사랑법

이민서

별명이 토마토가 된 것은 친구들과 레스토랑에 갔을 때 주문 수정을 위해 저 토마토예요!! 하고 외친 것이 계기.
걸그룹을 너무 좋아한 나머지 여미새라는 수치스런 이명 획득.

흡혈귀의 사랑법

"저기, 뭐 좀 부탁드리고 싶어서요. 어려운 부탁은 아니구요.
… 이상하게 들릴 거 아는데요. 혹시 피 좀 주실 수 있으세요?"

*

은수는 아주 어린 나이부터 자기 동네가 다른 곳에 비해 허름하고 그늘진 편이라는 걸 자각하고 있었다. 이른바 달동네라고 불릴만한 곳이었다. 물론 어렸을 때는 그 명칭을 몰랐지만.

그래서 그 동네가 싫으냐고 묻는다면, 그건 아니었다. 은수는 그곳 구석구석 피어있는 민들레도, 다 녹슬었지만 정든 표지판도, 친근한 담벼락도 모두 사랑했다. 그 동네는 싫지 않다. 그 안에 사는 자신의 가족이 싫었을 뿐.

엄마에 대한 기억은 거의 남아있지 않다. 기억이 선명한 순간부터 엄마는 그냥 없는 존재로 알고 살았다. 이따금씩 생각은 하지만, 밉지는 않았다. 그야 아버지라는 사람이 매일 해대는 꼴을 보면 엄마가 가족을 두고 홀연히 사라진 게 백번 이해되고도 남았다.

아버지가 술에 취해 들어올 때면 발소리부터가 달랐다. 그러면 은수는 이불을 꽁꽁 둘러 감고 자는 척을 했다. 그런 상태에서 대화했을 때 좋게 끝난 적이 없기 때문이다. 할머니는 그런 폭력적인 아버지에게 고스란히 고통받으면서도 동시에 아버지를 안타까워했다. 왜 매번 신세 한탄의 끝이 아버지가 아니라 엄마에 대한 저주인지는 모를 일이었다. 처음에는 그런 할머니가 가엽기도 했으나 곧 은수도 지쳐버렸다.

그래서 은수는 성인이 되자마자 독립했다. 남들이 새로 받은 주민등록증을 들고 알코올램프 맛 음료를 마시러 다니는 동안, 은수는 몇 탕씩 뛴 알바비로 자취방을 구하러 다녔다. 그렇게 적당히 입학한 대학 근처의 조그맣고 곰팡이 핀 방을 하나 구해 들어온 게 벌써 3년 전 일이었다.

새삼 다시 생각해보면, 첫인상부터 참 이상한 집이었다. 물론 벽지를 갈아도 제습기를 돌려도 통 사라지질 않는 이 곰팡내가 가장 이상하지만, 아무튼. 처음 이 집을 보러 왔을 때 주인아주머니께 들은 이야기는 강한 인상을 남기기에 충분했다.

"여기 집이, 터도 괜찮구 다 괜찮은데… 한 몇 년 전쯤에. 응? 그때부터 이 근처에 귀신이니 괴물이니 그런 게 산다구 이상한 소문이 돌아서 집값이 아주 그냥, 훅 떨어져 버렸어."

귀신이나 괴물이라니! 현대인이 듣기에는 지나치게 헛소문 같은 말이었다. 집값이 고작 저런 소문 하나로 떨어지진 않았을 거라는 것도 잘 알고 있었다. 하지만 그 말을 하는 주인아주머니가 워낙 진지한 표정을 짓고 있었기에, 은수는 저도 모르게 침을 꼴깍 삼켰다. 뭔가 발들이면 안 될 동네에 발을 들인 것 같다는 느낌이 들었지만, 당시의 은수는 여기보다 더 싼 집은 구할 수가 없었다. 그리고 그 뒤로 별 이상한 일도 일어나지 않았기에 그 이야기는 차차 은수의 기억 뒤편으로 밀려갔다.

그리고 시간이 흘러 바야흐로 지금, 3년이 지난 것이다.

3년. 도망치기에 충분한 시간이었는데!

은수는 벌벌 떨리는 손을 숨기고 숨을 참았다. 속으로 한탄했다. 3년 동안 이딴 동네에 눌어붙어있지 말걸. 아니, 애초에 처음부터 그따위 얘기를 들었을 때부터 튀었어야 했는데. 그깟 돈이 뭐라고…

비어져 나오는 눈물을 꾹 눌러 참았다. 우는 소리라도 새어나가면 저 미친 새끼에게 제 위치를 들키고 말 것이다. 평소에 그렇게 삶에 미련 없는 편이라고 생각했는데 아니었나 보다. 지금 이 순간 누구보다도 간절하게 살아남고 싶었다.

은수가 몸을 숨긴 콘크리트 기둥 뒤편으로 발소리가 들려왔다. 경쾌해 보이는 구두 소리가 구역질 났다. 아직까지도 코끝에서 피비린내가 진동을 했다.

은수는 진정하려 애쓰며 아까 목도한 광경을 다시 한번 되짚어보았다. 다시 복기해봐도 정말 믿을 수가 없는 장면이었다. 내 뒤에서 걸어오는 저 여자가, 아니 저 미친 새끼가, 주차장 구석에서 사람 목을 물어뜯고 있었다면 그 누가 믿겠는가!

이제 여자는 경쾌한 스텝에 더해 가벼운 콧노래까지 흥얼거렸다. 그래, 저 인간은 이게 재미있겠지. 나쁜 새끼, 사이코 같은 새끼……

은수는 마음속으로 본인이 아는 욕이란 욕은 다 내뱉으면서도 반쯤 체념했다. 머릿속으로 누구에게 마지막 인사를 전할지 생각했다. 의외로 기억도 별로 없는 엄마가 곧장 떠올랐으나 무슨 말을 전해야 할지는 감이 잡히지 않았다. 그 외에는 딱히 떠오르는 사람이 없었다. 우습기도 하지, 이십몇 년을 살았는데 중요하다 싶은 인간관계가 이렇게 없다니. 은수는 가득 차오르는 허탈함에 잠시 공포를 잊을 수 있었다.

신발 굽 소리가 기둥 바로 뒤에서 멈추었다. 고민하던 은수는 결국 마지막 인사의 수취인을 자신으로 정했다. 안녕, 그동안 수고 많았다. 이렇게 어이없게 죽을 줄 알았으면 그냥 흥청망청 놀기나 하지 그랬니…

덜덜 떨리는 어깨를 우악스럽게 잡아채는 손길이 느껴졌다. 영 점 몇 초 뒤에 닥쳐올 예정된 고통에 은수는 눈을 질끈 감았다.

*

그렇게 영영 눈 감을 줄 알았던 은수는, 다행스럽게도 다시 눈을 떴다. 게다가 상상했던 고통 때문이 아닌 그저 달그락거리는 소리 하나 때문에.

멍한 정신으로 일어난 은수는 곧 여기가 자신의 방 안임을 알아채고 안도했다. 방금 전 있던 일은 그냥 나쁜 꿈이었나보다. 하긴, 영화도 아니고 사람 목을 물어뜯는 괴물이 있을 리가 없지…

그렇게 한 몇 분 동안 은수는 모두 악몽이라 치부하며 스스로를 다독였다. 눈을 뜬 순간부터 계속 들리던 달그락거리는 소리의 이질감을 눈치채기 전까지, 은수는 정말로 모든 게 다 피로에 미쳐버린 자신의 악몽인 줄만 알았다.

집에 나 외의 다른 누군가가 있다는 긴장감에 잔뜩 곤두선 은수는 최대한 숨죽인 채 귀를 기울였다. 대체 누가 뭘 하는 건지 달그락거리는 소리는 끊이지 않았다. 소리만 들어서는 식기에서 나는 소리 같았다. 중간중간 칼로 뭔가를 써는 것도 같았다. 물론 중요한 것은 소리의 종류 따위가 아니라, 이것이 명백하게 혼자 사는 은수의 집 안 부엌에서 들리는 소리라는 사실이지만.

빠르게 주위를 둘러보았지만 무기로 쓸 만한 것은 전혀 없었다. 저 문짝만 한 중고 의자를 들고 휘두를 수도 없는 노릇이고, 은수는 무의식적으로 욕지거리를 내뱉을 뻔한 입을 재빨리 사리 물었다. 그러자 거의 동시에, 들려오던 모든 소리가 멎었다. 그 아주 기이한 몇 초간의 정적에 은수는 혹시 저가 모르는 새 소리 내어 욕을 해버린 건지 의심해야만 했다. 잠시 간의 정적과 의심 이후, 또각거리는 구두 소리가 들리더니 점차 가까워졌다. 이 시점에서 은수는 차라리 혀를 깨물고 다시 기절해버릴까 진지하게 고민했다. 왜냐하면, 정말 틀렸으면 하는 예감이지만, 저 가택 침입자가 누구인지 알 것 같았기 때문이다.

*

"왜, 맛이 별로예요?"

걱정하는 척하는 질문에 은수는 다급하게 고개를 가로저으며 입에 숟가락을 욱여넣었다. 밍밍하고 과하게 묽은 죽은 거의 숭늉 같았다. 아니, 사실 좋게 표현해줘서 숭늉이지 그냥 음식이 되다 만 무언가 같았다. 당장이라도 토할 것 같지만 억지로 꿀떡 삼켜내었다. 눈앞의 여자는 배가 고팠냐며 연신 생글생글 웃어 보였다. 은수는 애써 시선을 피해 죽(같지도 않은 저주받은 음식물) 그릇으로 고개를 떨구었다. 위선 떠는 얼굴에 치가 떨렸다.

높은 굽 소리를 또각또각 내며 은수의 방으로 다가온 여자는 예상대로 아까의 그 사람이었다. 사실 정말 사람이 맞는지는 잘 모르겠다.

여자는 아까의 일이 꿈이 아님을 친절히 일러주듯 피가 묻은 구두를 그대로 신고 있었다. 기절해도 모자랄 두 번째 조우에 은수는, 웃기게도 남의 집에서 신발을 신고 있다니, 저 핏자국을 어떻게 지우지 하는 엉뚱한 생각을 먼저 했다. 사람이 너무 무서워하다 어떤 극한을 넘게 되면 도리어 차분해진다는 게 정말인가보다 싶었다.

물론, 여자가 일어났냐고 물으며 손을 흔들자 드러난 왼손의 식칼을 보고는 다시 까무러치듯 기절해버리고 말았지만.

그렇게 다시 기절하고 일어난 게 지금이었다. 다시금 눈을 떴을 때, 제발 사라져 있었으면 했던 아까의 그 여자는 보라는 듯이 제 옆에 앉아있었다. 미동도 없이 내려다보는 시선에 저절로 숨을 참게 되었다. 그 시선을 그대로 받아내며 이제 정말로 진짜로 죽겠구나, 하는 생각이 들 때 여자가 들이민 건 날카로운 이빨도, 식칼도 아닌 멀건 무언가가 담긴 밥그릇이었다.

'그러니까 아까 부엌에서 소리가 나던 게 이걸 만들고 있던 거란 말이지.'

은수는 굳이 묻지 않아도 대강의 정황을 파악할 수 있었다. 달그락거리는 소리는 이 밥그릇에서, 칼로 써는 소리는 이 고명같이 생긴 것에서. 부엌에 있던 사람도 만든 사람도 이 여자. 먹을 걸 만들어준 이유는 모르지만, 별말 없이 음식을 들이민 게 어서 먹으라는 신호임은 분명했다. 없는 입맛에 억지로 숟가락을 움직이려니 절로 구역질이 났으나 은수는 초인적인 인내심으로 참아냈다. 그야 당연히, 싫어하는 티를 내면 당장 목이 물어 뜯길지도 모르잖아…

밥그릇을 다 비울 때까지 끈질기게 쳐다보며 생글생글 웃던 여자는 손수 상을 치워주고 몸은 괜찮냐고 묻기까지 했다. 왠지 불길한 예감이 들 정도로 친절히 굴고 있었다. 바로 좀 전에 사람을 물어뜯어 죽인 주제에. 의심 가득한 얼굴로 흘긋대는 은수를 알아챘는지, 상을 치우고 딴청을 피우던 여자는 슬금슬금 가까이 와 앉았다. 여전히 웃는 낯이었다.

"빙빙 돌리는 거 싫으니깐 그냥 바로 본론만 말할게요."

"…"

은수는 식은땀이 나기 시작한 손을 꽉 말아 쥐고 뒷이야기가 이어지길 가만히 기다렸다. 무슨 이야기가 나오든 지금보다 최악이겠어, 하는 안일한 생각으로, 더 심한 최악은 언제나 어디에서나 존재하는 법인데도!

"제가 이렇게 집에도 데려다주고, 죽도 만들어주고 잘해줬잖아요? 그러니까 저기, 대가로 뭐 좀 부탁드리고 싶어서요, 어려운 부탁은 아니구요."

"… 이상하게 들릴 거 아는데요, 혹시 피 좀 주실 수 있으세요?"

"아니, 왜? 내가 뭐 죽인 댔니? 피만 좀 달라고! 너 진짜 어이없다!"

"말이 되는 소리를 하세요!"

은수는 당연히 거절했다. 실은 거절이라 하기도 거창했다. 그냥 싫다고 살려달라고 빌다시피 한 것이 의사 표현의 전부였다. 피를 달라니, 죽이겠다는 은유 아닌가? 그 맛대가리 없는 죽이 내 목숨값이었다니. 내가 그것도 모르고 전부 처먹었다니….

그러자 여자가 웃음기를 집어치우고 저렇게 화내다시피 말하기 시작한 것이다. 처음의 그 가식은 어디로 갔는지 말투도 반말 조로 바뀌었다. 아마도 저게 원래 성격일 것이다. 처음에는 몸이 덜덜 떨릴 정도로 공포에 질려 빌었는데, 계속 상식 밖의 이야기를 해대니 은수도 지쳐 짜증스레 대꾸하기 시작했다.

"그냥 아까 그 사람처럼 죽이겠단 말이잖아요! 내 목도 막 그렇게 물어서, 어? 그럴 거면서 무슨 피만 달래!"

"정말로 피만 마시겠다고 몇 번을 말해? 그렇게 겁먹지 마! 그냥 헌혈이라고 생각하면 되잖아!"

"뭐, 헌혈?"

" 아니, 그러네! 맞네! 헌혈 맞잖아! 나는 피가 필요하니까. 네가 피를 주는 거잖아! 헌혈이랑 뭐가 달라? 똑같다고!"

"진짜 양심도 없고 제정신도 아니고…"

여자가 분에 못 견디고 씨익씨익 대며 은수를 노려보았다. 그제야 아차 싶어진 은수는 다시 정신을 차렸다. 정신 차려라, 이 인간은 나를 죽일 수도 있는(이미 거의 확정인 것 같지만) 위험인물이다. 정신 차려라….

그런데 머리가 좀 식으니, 그제야 무언가 이상한 지점들이 보였다.

"그런데 피는 왜요? 무슨, 당신이 흡혈귀라도 돼요? 아까 그 사람도 피 빨아먹고 있던 거라고 둘러댈 거예요?"

"그걸 지금에야 물어보니? 그래, 맞아. 뭐 피 빨아먹고 살면 흡혈귀지. 그런데 아까 그 사람은 그냥, 있는 피 전부 다 빨아먹고 깔끔하게 죽이려고 한 거고 너는 안 죽일 거라고, 좀 적당히 먹기만 하겠다고!"

"왜요? 왜 나는 안 죽여요? 그 사람은 왜 죽이고? 말이 안 되잖아요!"

여자는 그 말에 갑자기 조용해지더니 은수를 빤히 응시했다. 은수는 저도 모르게 주먹에 힘을 주었다. 여차하면 먼저 때려야 한다는 하찮은 생각이었다. 그러자 여자는 비웃음인지 실소인지 모를 웃음을 터트리고는 은수의 코앞으로 훅 다가왔다. 은수의 주먹 위에 슬며시 손을 겹치고 주먹의 힘을 풀게 만든 것은 순식간이었다. 여전히 웃는 눈으로 시선을 맞춰왔다. 왜인지 피할 수가 없었다. 저도 모르게 숨을 참은 은수는 그제야 처음으로 여자의 얼굴을 자세히 보았다. 기다란 속눈썹과 연갈색에 가까운 눈동자가 선명하게 보였다. 흡혈귀는 사람을 홀려야 해서 예쁘장하다더니 아주 틀린 말은 아닌 듯싶었다.

“네 피가 아주 아주 맛있거든! 먹어본 것 중에 제일. 그래서 딱 한 번 마시고 죽게 두기에는 너무 아까워.”

물어보지 말 걸 그랬다.

*

피가 다 거기서 거기지, 하는 건 정말 뭘 모르는 말이다. 사람이든 동물이든 각자 피 맛은 전부 다르다. 예컨대 청량하고 깔끔한 맛의 피가 있는가 하면, 고약하고 썩은 내가 나는 피도 있다는 거다. 이건 그 사람의 질병이나 음식 취향과는 관계없는 것이다. 그러므로 흡혈귀는 저 사람의 피 맛이 어떨지, 직접 '물어'보지 않으면 알 수가 없다.

하지만 이런 무신경하고 잔인한 방법은 21세기 현대를 살아가는 흡혈귀에게는 꽤 힘들어지고 말았는데, 이런 무작위적 시식을 완벽히 은폐하는 일이 아주 어려워졌기 때문이다. 온갖 곳에 CCTV에, 증거에, 별별 디지털 기술과 수사방법이 등장하고 말았다!

그리고 이런 흡혈귀 대 위기의 시대에 태어난 여자는, 피 맛이 괜찮을 것 같은 아무나를 아무렇게나 처리하는 오래된 방법은 처음부터 쓰지 않았다. 대신 저 나름 대로 새로운 규칙들을 만들어 지키며 생활했다.

머무르는 건 최대한 치안이 안 좋은 동네로, 당연히 CCTV나 목격자는 피해서, 한 번에 전부 다 마셔서 확실히 죽게 만들기. 증거는 남기지 말고, 등등.

여자가 선조들과 다른 점은 여기에 하나가 더 있었는데, 바로 대상자의 선정에 있어서다. 여자는 정말 무작위로 피를 빨아먹고 다니던 선조들의 방식에는 절로 진저리가 쳐졌다. 그는 아무나 죽이고 다니고 싶지는 않았다.

그래서 결과적으로 여자가 만들어낸 합리화의 지점이 어디냐고 묻는다면, 그건 바로 범죄자였다. 흡혈귀들에게 대위기를 선물한 디지털 기술의 발전이 역설적이게도 여자에게는 나름 도움이 되었다. 요새는 클릭 몇 번이면 흡혈귀도 인간 중범죄자의 신원을 조회할 수가 있다는 말이다!

그렇게 자신이 만들어낸 합리화에 만족하며, 여자는 오늘도 그저 평범하게 지켜온 대로 하고 있었을 뿐이다. 술에 절어 제 가족들을 폭행한 놈의 피 맛은 아나나 다를까 그저 그랬다. 예상한 대로 아주 평범하고 그저 그런, 기억에도 남지 않는 식사가 될 예정이었다.

등 뒤에서 갑자기 느껴진 인기척만 아니었더라면.

일부러 오가는 사람이 거의 없는 건물의 지하주차장으로 온 거였는데, 웬 초대받지 않은 손님이 갑자기 등장해 이 현장을 목격하고는 기둥 뒤에 숨어있었다. 그래 봤자 옷깃이 다 보인다는 걸 아는지 모르는지.

그 조그마한 여자는, 가까이 다가갔을 땐 이미 무언가를 직감한 듯 제자리에 굳어서 벌벌 떨고 있었다. 어깨를 훅 잡아채자 바로 기절한 듯 허무하게 쓰러졌다. 여자는 방금까지 물어뜯던 범죄자와 웬 불청객을 양옆에 두고 고요한 주차장에서 잠시 생각에 잠겼다.

제 편의를 생각한다면 이 여자도 그냥 보내지 않는 게 맞았다. 하지만 그건 내내 지켜오던 자신만의 규칙에 위배 되는 것이었다. 범죄자도 아닌 사람에게 해를 끼치는 것은 여자가 용인해온 합리화 내에 있는 것이 아니었기 때문이다.

꽤 신중하게 고민하던 여자는 자연스럽게 손가락을 입가에 가져다 댔다. 무언가 생각할 때 나오는 버릇이었다. 손가락으로 입술 가운데쯤을 몇 번 훑었다. 달콤한 맛이 났다. 오, 맛있네… 그나저나 쟤를 어떡한담…

216

퍼뜩 정신이 차려졌다. 달콤했다고?

혀로 입술에 남은 핏자국을 슬쩍 핥아 먹어보았다. 훑은 손가락에 피가 묻었었던 모양이다. 다시 음미해도 역시 틀림없었다. 정말 달콤한 맛이 났다!

아까까지 마시던 피 맛은 이렇지 않고 평범했으니, 이건 분명 이 불청객의 피일 것이다. 언제 피가 났나 하고 들여다보니 힘 조절을 못 하고 어깨를 너무 세게 잡은 모양이었다. 쓰러진 여자의 어깨에 손톱자국대로 상처가 나 있었다.

이렇게 맛있는 피는 난생처음이었다! 여자는 방금 처음 설탕을 맛본 사람마냥 환희에 가득 찼다. 평생을 저칼로리식으로만 먹어오다가 자극적인 패스트푸드를 먹은 기분이었다. 내 작은 미슐랭 레스토랑이 이런 데 숨어있었다니!

슈가러시를 맞은 여자는 잔뜩 고양된 기분을 안고, 난리가 난 주차장을 수습한 뒤 기절한 불청객-이제는 작고 귀여운 미슐랭 레스토랑 취급을 받을-을 등에 업었다. 아무래도 이 애의 집으로 데려가는 게 낫겠다고 판단했다.

그 뒤는 은수도 알고 있는 대로이다. 은수가 기절해있는 동안 죽을 만들고, 그러다 의도치 않게 다시 은수를 기절시키고, 일어난 은수에게 피를 요구하고. 그리고 거절당했다.

그러니 지금의 이 상황 자체는, 여자에겐 매우 이례적인 일이었다. 처음으로 범죄자가 아닌 이의 피를 맛봤고, 거기다 그게 너무 맛있던 나머지 충동적인 일들을 벌였다. 달콤한 맛에 잔뜩 고양된 기분 아래로 묘한 불안함이 흘러가는 것을 여자는 애써 모른 척했다.

*

"잠깐, 그런데 우리 집은 어떻게 알고 온 거예요?"

"그냥 자연스럽게 알게 됐는데?"

"그런 걸 변명이라고 해요? 스토킹도 하고 다니는 거예요?"

"내가 그렇게까지 나쁜 짓을 하진 않아! 나는 밤에 잠을 잘 안 자니까 네가 밖에 다니는 게 다 보인다고, 맨날 저 길목 지나서 이 집으로 들어오던데 뭘!"

맞았다. 여자는 은수가 밤늦게 아르바이트를 마치고 집으로 돌아오는 경로를 단번에 맞추었다.

"일부러 본 건 아니야. 나는 잠이 없는 편이라 밤새 심심한데, TV 같은 것도 재미없다고, 영 모르는 소리만 하고, 그래서 늘 창문으로 바깥만 구경하는데 네가 맨날 늦게 오니까 시간이 겹친 것뿐이야."

"그렇다고 치면 문은 어떻게 따고 들어왔는데? 뭐 그것도 자주 쳐다보니까 열렸다고 할 거예요?"

그러자 여자가 턱짓으로 현관 쪽을 가리켰다. 고개가 따라 돌아가자 보인 풍경은 경악스러웠다. 문이 종잇장마냥 구불구불 구겨져 있었다.

"문을 박살 내놓으면 어떡해요!"

여자는 빙글빙글 웃기만 했다. 지금 이게 재밌나? 나는 진짜 울 것 같은데…. 은수는 한달음에 현관문 쪽으로 달려갔다. 가까이서 봐도 더 심했으면 심했지 나아 보이진 않았다. 안 그렇게 생겨서는 힘이 무지하게 센 모양이었다. 벌써부터 수리비가 걱정되었다. 당장 열린 문으로 지내야 하는 오늘 밤도.

"일단 나가요. 제발! 다시는 찾아오지 말고! 신고 안 할 테니까 그 대신 나 좀 놔둬요!"

일단 저 여자를 내보내는 게 급선무였다. 여자는 나가기 싫다는 듯 버텼지만 이내 못 이기는 척 밖으로 슬금슬금 걸어 나갔다. 나가면서도 계속 뭐라 뭐라 헛소리를 해댔지만 은수의 귀에는 제대로 들어오지 않았다. 그러다 여자가 갑자기 휙 뒤돌아 은수의 팔을 붙잡았다.

"그러고 보니 이름이 뭐야? 안 물어봤네."
"은수예요, 은수! 이제 됐죠? 어서 나가요!"
"은수야, 조심해."

여자가 갑자기 처음 듣는 진지한 목소리를 냈다. 빤히 바라보는 시선이 무섭기도 하고 부담스럽기도 했다.

"여기 동네에 이상한 놈들 많은 거 알지. 너 맨날 늦게 집에 오잖아. 친구라도 데리고 오든가 차를 타고 다니든가 해. 그런 시간에 혼자 다니기 위험한 곳이야."

여자는 낯선 목소리로 예상하지 못했던 말을 했다. 은수는 무어라 대답해야 할지 갈피를 잡지 못하고 입만 뻐끔거렸다. 이 타이밍에, 이런 상대한테? 아주 오랜만에 받는 걱정은 몹시 당황스러웠다.

"아님 뭐 내가 지켜주지. 어때?"

은수는 슬슬 이 여자의 걱정이 가식인지 아니면 정말 진심인지 헷갈리기 시작했다. 고작 피가 맛있다는 이유 하나로 이렇게까지 굴다니.

"내가 잘 지켜주면 보상으로 피 조금 주나?"

그럼 그렇지!

하지만 바람과는 달리, 그 여자를 내쫓는다고 은수의 일상이 평화로워지진 않았다.

"무슨 수리가 그렇게 오래 걸려요?"
"아니 아가씨, 나한테 따져봤자 뭐 달라져? 추석이라 쉰다는데 낸들 별수가 있남… 그동안만 어떻게 잘 해보셔."

집주인에게 싹싹 빌다시피 현관문의 상태를 고한 은수는, 수리공과 통화를 마친 집주인의 말을 듣고는 경악했다. 아무리 연휴라지만 현관문 하나 고쳐 다는 데 왜 일주일씩이나 기다려야 한다는 말인가! 막막함에 발만 동동 구르던 은수는 그 길로 가방을 챙겨 근처 찜질방으로 왔다.

집주인 아주머니가 출입문이라도 잘 잠가 주마 했고, 어차피 낮부터 밤까지는 아르바이트를 하니 여기서는 잠만 자면 된다 쳐도 무섭고 막막한 건 어쩔 수 없었다. 무려 한 주 동안 내 자취방이 무료 공개되는 사건이라니. 은수는 혹시라도 두고 온 귀중품이 없는지 다시 생각해보았다. 그 망할 여자 때문에 이게 대체 무슨 꼴람. 수리비라도 뜯어냈어야 했는데….

따뜻한 찜질방 안에 누워 있으려니 잠은 안 오고 자꾸만 다른 생각이 스멀스멀 떠올랐다. 그러다 종국에는 중학생 때 처음으로 가출했던 기억까지 이어졌다. 돈도 마땅치 않았고 멀리 갈 용기도 없었기에 그때도 집 근처의 작은 찜질방으로 향했었다. 원래대로라면 아직 성인이 아닌 은수를 재워주면 안 됐지만, 대충 사정을 아는 주인아주머니는 그런 은수를 한두 번 눈감아주곤 했다.

다시 그때로 돌아간 듯 기분이 울적해진 은수는 고개를 흔들어 기억을 털어버렸다. 지금 상황이 어떻든 그때보다야 백배 나았다. 이제는 현관문이 없을지언정 아버지가 있지는 않으니까. 그리 생각하니 조금 위로가 되는 것도 같았다.

*

아니, 위로는 개뿔!

간신히 잠든 다음 날, 아르바이트를 다녀오고 피곤한 몸을 간신히 이끌어 찜질방 근처로 온 은수는 생경한 모습에 당황을 감출 수 없었다. 분명 아침까지 멀쩡했던 건물이 지금은 검은 그을음이 퍼져 본 색깔을 알아보기도 어렵게 되어있었다. 근처에는 동네 주민들이 모여 웅성대고 있었다.

당장 씻고 잠이나 자고 싶었던 은수는 망연자실하게 찜질방-이었던 것-을 바라보고 서 있기만 했다. 이제는 현관문도 없고 찜질방도 없다. 젠장!

몇 분 지나고 나서야 정신을 차린 은수는 휴대폰 검색창에 눈앞의 찜질방 이름을 검색해보았다. 짤막한 기사 한두 개만 떴으나 대충 상황은 파악할 수 있었다. 화재로 인한 인명피해는 없지만 수습이 늦어서 건물 일부가 못 쓰게 되었다고.

피곤해서 그런지 머리가 빠르게 회전되지 않았다. 은수는 근처에 하룻밤 묵을 만한 곳이 있는지 생각해 보았지만 딱히 떠오르지 않았다. 미친 척하고 현관문이 열린 집에서 무사하길 바라며 자야 하나 하던 순간에,

"은수야, 뭐해?"

누군가 은수의 어깨를 두드리더니 생글생글 웃는 투로 말을 걸었다. 깜짝 놀라 뒤돌아본 은수는 이내 누구인지 알아채고 표정을 확 구겼다. 조용히 가방 안에 손을 집어넣고 무기로 쓸 만한 게 없는지 조심스럽게 뒤적거렸다.

"왜 또 왔어요? 피 안 준다고! 따라다니지 말라고 했잖아요!"
"너는 무슨, 내가 맨날 배만 고픈 줄 아니? 이번에는 그냥 지나가다가 보이길래 말 건 거야."
"그러니까 말을 왜 거냐고! 신경 쓰지 말고 가던 길 가세요."
"잘 데 없어?"

가라는 말을 들은 체도 않던 여자는 금세 은수의 상황을 짐작해냈다. 가방 안을 뒤적거리던 은수의 손이 뚝 멈췄다. 이 사달을 낸 장본인에게 굳이 대답하고 싶지 않았으므로 은수는 침묵으로 일관했다.

"따지고 보면 내가 현관문 부숴서 이렇게 된 건데, 조금 미안하네?"
"알긴 아네요. 근데 그게 미안한 표정이에요?"
"뭐 그럼 울기라도 할까? 어쨌든, 내가 하고 싶은 말은 이게 아니고, 잘 데 없으면 우리 집 와서 자!"
"그래요, 너무 좋네요. 저는 당신 집 가서 바보처럼 무방비하게 잠들고 당신은 날 물어 죽이는 거 맞죠?"
"애가 왜 이렇게 꼬였대? 이건 그냥 선의야. 선의! 미안하기도 하고?"

은수는 입을 비죽거렸다. 전혀 믿음직하지 못했지만 딱히 다른 대책이 없는 것도 맞았다. 시간은 벌써 자정을 향하고 있었다. 거의 하루 내내 한숨도 자지 못한 머리가 멍했다. 내일 아침 피가 다 빨려 있더라도 당장 어디 눕고 싶은 마음이 간절했다. 정신이 흐려져서 그런가, 해치지 않겠다는 게 진심처럼 느껴지기도 하고…

결국 은수는 멍한 정신과 흐려진 판단력으로 인해, 평소였더라면 절대 하지 않았을 선택을 하고 말았다.

*

흡혈귀의 집이라 무슨 중세시대 장식품이나 관, 박제가 가득할 줄 알았는데 의외로 평범한 도시 사람의 집 같았다. 여자에게 말했더니 다 흡혈귀에 대한 편견이라며 질려 했다. 씻고 나온 은수는 깔끔하다 못해 생활감이 거의 없는 주방에서 물을 따라 마시고는 그대로 기절하듯 잠들었다. 어느 정도 깨어있으면서 여자를 경계하려던 은수의 하찮은 계획은 단번에 실패했다. 자신의 대단한 안전 불감증에 감탄을 보내며, 은수는 아주 무겁게 감겨오는 눈꺼풀에 저항하지 않았다. 테라스에 기대 창문 밖을 구경하는 여자의 뒷모습이 감기는 눈에 마지막으로 보인 장면이었다.

짹짹거리는 아침 새소리와 함께 눈을 뜬 은수는 제일 먼저 손으로 제 목을 훑었다. 몸 상태도 멀쩡한 것 같고, 목에 상처도 없었다. 정말로 가만히 둔 모양이었다. 가뿐하게 일어난 은수는 두리번거리다가 식탁 위에서 음식 같아 보이는 무언가와 메모를 찾아냈다.

세상에, 내가 아침도 다 해준다. 고맙지? 오늘도 여기 와서 자는 거 맞지?

메모지를 와그작 구긴 은수는 옆의 접시를 살폈다. 자세히 보니 토스트였다. 거의 다 타긴 했지만. 그래도 예의상 먹어 줘야겠지 하는 생각이든 은수는 첫입을 베어 물었다. 이윽고 남은 토스트는 그대로 쓰레기통으로 직행했다.

'하는 일이 따로 있나? 이 아침부터 어딜 간 거지.'

은수는 여자의 행방이 내심 궁금했으나, 늦지 않기 위해 준비를 서둘러야만 했다. 곧이어 은수가 집을 나서는 소리와 함께 여자의 집에는 다시 적막이 찾아왔다.

"아까는 어디 갔었어요?"

퇴근 후 다시 집에 돌아온 은수가 물었다. 소파에 누워 껌을 씹던 여자는 은수를 향해 고개를 돌려 말없이 웃기만 했다.

사실 오늘부터는 정말 이 여자의 집이 아니라 다른 데서 자려고 했으나, 마을 외곽에 딱 하나 있는 숙박업소에 빈방이 없었다. 은수는 이쯤 되면 온 세상이 제가 이 여자의 집에 머물기를 바라는 게 아닐지 절망스럽게 고민했다.

"대답하기 싫으면 말구요. 근데 흡혈귀도 껌을 먹어요?"
"나는 음식을 안 먹는데, 뭔가 씹고는 싶으니까 대신 이걸 먹는 거지. 이해돼? 그리고 아까는 장 보고 왔어."
"장을 봤다구요? 뭘요? 음식도 안 먹는다며?"
"너 먹을 거 사 왔다고. 감사 인사는 됐어."

여자는 손을 휘휘 내저으며 기세등등한 표정을 지었다. 그 말을 들은 은수가 부엌으로 가 찬장을 열어보자 정말로 여러 가지 식재료들이 이리저리 놓여 있었다. 분명 어제까지만 해도 텅텅 비어있는 곳이었다.

"내가 여기 내내 머무를 거라고 확신을 하는군요?"
"딱히 갈 데도 없잖아? 비싼 돈 내고 이리저리 전전하지 말고 그냥 여기서 지내. 어제 봤지? 너 건드리지도 않았잖아!"

그렇긴 했다. 오늘 아침에 멀쩡했던 것도 그렇고, 지금 보기에도 여자는 해치고자 하는 의도는 전혀 없어 보였다. 은수는 문득 궁금해졌다.

"그럼 왜 나를 여기서 재워주는데요? 진짜 순수하게 미안해서?"

이 질문에는 대답이 돌아오지 않았다. 무언의 의사를 확인한 은수도 굳이 더 캐묻지 않았다. 죽이려 하는 것만 아니라면야 어찌 되든 좋았다.
그렇게 두 사람-한쪽은 사람이 아니지만-의 기묘한 동거가 시작되었다.

*

"여기에 이제 뭘 넣으라고? 아니, 기름이 너무 부족한가? 물 좀 넣을까?"
"아, 진짜 왜 그래요! 하지 마요!"

앞선 두 차례의 경험으로 여자의 요리 솜씨가 좋지 않다는 건 알고 있었지만, 생각보다 더 심각했다. 하긴 해먹을 일이 전혀 없었을 테니 어찌 보면 당연했다.

여자는 은수가 무언가 만들어 먹으려고 하면, 호기심이 가득한 얼굴로 기웃대며 도와주려고 했다. 그리고 여자의 도움은 언제나 은수의 요리 수업으로 마무리되었다. 처음에는 볶음밥, 두 번째 날에는 스파게티, 셋째 날은 두부조림, 그리고 오늘은 호박전이었다.

"이게 전이구나. TV에서 보긴 했는데 먹어본 적은 없어."
"그럼 먹어봐요. 아, 음식을 아예 먹으면 안 되는 건가?"
"아니. 그건 아닌데… 피가 아니라 평범한 음식을 먹으면 역한 맛이 나서 안 먹는 거야. 인간들도 피를 마실 수는 있지만 역해서 안 마시잖아."

그런 거구나. 은수는 별 대꾸 없이 고개를 끄덕거렸다. 적당히 식은 호박전을 접시에 옮겨 담고 식탁으로 가져갔다. 김이 모락모락 나는 노릇한 전이 맛있어 보였다. 과정이 그렇게나 엉망이었는데도 매번 결과물은 나름 괜찮다는 게 웃겨서 은수는 조금 피식댔다.

아니나 다를까 맛있었다. 한동안 젓가락질하는 소리만이 식탁 주위를 채웠다. 속은 여전히 뜨거운 전을 호호 불어가며 먹던 은수는 이내 젓가락질을 뚝 멈추었다. 말없이 물만 마시며 은수가 먹는 모습을 바라보던 여자가, 갑자기 손을 내밀었기 때문이다.

"나도 줘."
"못 먹는다면서요?"
"그래도 줘. 먹어보고 싶어."

눈만 도르륵 굴리던 은수는 젓가락에 전 끄트머리를 쿡 찔러 넣은 뒤 여자에게 건넸다. 큰 결심을 한 듯 비장한 표정으로 젓가락을 받아든 여자는 아주 천천히 그녀의 첫 인간식 식사를 시작했다. 지켜보는 은수 역시 덩달아 긴장이 되었다. 신중하게 몇 번 씹어보던 여자는 곧 표정을 구겼다. 역시나 역하게 느껴지는 모양이 었다.

"억지로 먹지 마요."

여자가 고개를 도리도리 젓더니 남은 호박전을 한입에 넣고는 천천히 씹어 꿀꺽 삼켰다. 젓가락을 돌려받은 은수는 말없이 물잔을 건네주었다.

"네가 먹는 거니까 나도 먹어보고 싶었어."

여자는 물을 마시며 말했다. 그러고는 아무 일 없었단 듯이 다시 은수를 쳐다보았다.

'엄마, 엄마. 그거 뭐야? 나도 먹어볼래!'
'아이구, 안 돼. 너는 나중에 좀 더 크면…'

은수는 문득 어린 시절의 기억이 떠올랐다. 몇 없는 엄마에 대한 기억이었다. 엄마가 커피를 마시는 걸 보고 자신도 먹어보겠다고 떼를 썼다. 순전히 엄마가 좋아하는 건 다 따라 경험해 보고 싶은 마음에서였다.

은수는 기분이 아주 이상해졌다. 고개를 숙이고 입으로 꾸역꾸역 남은 호박전을 밀어 넣었다. 전의 맛이 잘 느껴지지 않았다.

*

그렇게 하루하루가 지나고, 5일을 꼭 채운 다음 날이었다.

"아니 저번에 만들어 봤잖아요! 스파게티면은 삶아서 먹는 거라니까!"
"씹을 만한데 그냥 먹으면 안 돼? 삶기 귀찮지 않아?"

오늘의 메뉴는 다시 스파게티였다. 만들기가 생각보다 간편해서 은수가 자취방에 있을 때에도 즐겨 해 먹곤 했다. 그동안 여자는 은수가 만든 요리를 매일 딱 한입씩만 맛보고, 표정이 찌푸려지는 걸 애써 감추고, 뱉고 싶은 마음을 참고 꿀꺽 삼키는 걸 반복했다. 오늘도 마찬가지였다.

"삼키기도 힘든데 왜 맨날 먹는 거예요?"
"말했잖아. 네가 먹는 거니까 궁금하다고. 으악, 물 좀 줘!"

매번 물을 찾는 것도 똑같았다. 이제 적응된 은수는 여자에게 음식을 건네주기 전에 미리 물을 따라놓았다. 포크에 면을 돌돌 말아 우물거리던 은수는 그 광경을 가만히 지켜보다가 입을 열었다.

"근데, 이제 와서 묻는 게 웃기긴 하지만. 이름이 뭐예요?"
"선주. 선주야."
"선주?"
"응! 선주. 선지에서 마지막 모음 하나만 바꿨어. 좋지?"

여자는, 아니 선주는 이름의 기원을 간단히 소개한 뒤 빙글빙글 웃었다. 은수는 여자가 말한 선지가 무슨 뜻인지 생각하다가 이내 피를 굳힌 음식을 말하는 것임을 알아채고 생각을 관두었다.

괜히 물어봤다.

"스파게티, 뭐해?"
"은수! 은수라구요!"

함께 요리를 만든 지 며칠이 지나니, 선주는 저런 이상한 호칭으로 은수를 부르기 시작했다. 어떤 때는 스파게티, 어떤 때는 볶음밥, 어떤 때는 호박전, 그리고 어떤 때는 혈액 팩(이게 제일 기분이 나쁘다) 등등. 은수는 이런 호칭에 짜증이 났지만, 더 짜증나는 건 이 생활에 점점 익숙해지고 있는 자신이었다.

솔직히 이제 선주와 함께 사는 데 나름대로 적응되었다. 인간은 적응의 동물이라는 걸 이런 데서 느끼다니. 선주라는 특이한 존재와 이야기 나누는 건 그 자체로도 충분히 흥미로운 일이었고, 의외로 성격도 잘 맞았다(물론 식성은 전혀 아니다). 이 상태로 자취방으로 돌아가면 좀 허전할 것도 같았다.

"엄마, 내가 드디어 미쳤나 봐…."

대자로 드러누운 은수가 허공을 보며 중얼거렸다. 허전하다니! 흡혈귀한테 피를 빨려서 몸이 허전한 게 아니라 그 흡혈귀가 없어서 허전해할지도 모른다니. 일주일 전의 은수라면 상상도 못 했을 일이다. 조용히 쿡쿡 웃었다.

언제나 혼자인 게 익숙했기에 외로움도 모르는 줄 알았는데, 이제 와서 보니 그게 아니었나 싶었다. 아버지에게서 벗어났다는 해방감으로 외로움을 감출 수 있었지만, 그러는 와중에도 기대고 정 줄 구석은 내내 없었다. 굳이 고르자면 이제 기억도 별로 안 나는 엄마를 고를 수 있겠지만, 엄마는 사실 이제, 만날 수가 없으니까.

행적도 묘연하게 사라진 엄마를 찾아 나서기란 거의 불가능했다. 거기에 시간이 흐른 지금은 더 어려웠으면 어려웠지 쉽진 않을 것이었다. 무엇보다 엄마가 아직까지 연락 않고 있다는 건, 그다지 만나고 싶지 않다는 의사 표현 아닐까.

원망하지 않는다고, 없는 사람인 셈 친다고 그립지 않은 것은 아니었다. 은수는 이렇게 엄마에 대한 생각이 떠오를 때마다, 자신을 찾지 않아 주는 것에 대한 서운함과 아른아른한 그리움을 느꼈다. 그리고 그것들은 곧 아버지에 대한 원망으로 흘러갔다.

은수는 아버지를 떠올리면 언제나 아팠다. 아직도 자취방 근처에서 술에 취해 고함지르는 남자의 목소리가 들리거나 쿵쿵대는 발소리가 들리면 숨을 죽이고 벌벌 떨었다. 도망쳐 나온 뒤로 시간이 많이 흘렀는데도 여전히 그랬다. 생각해보면, 선주와 지내면서 아버지에 대한 생각을 덜 하게 되어 더 편안했던 것도 같다. 그만큼 아버지는 은수의 가장 큰 흉터였다.

현관문에서 도어 락 버튼을 누르는 소리가 들렸다. 이윽고 은수의 예상대로 선주가 걸어 들어왔다. 은수는 선주를 빤히 바라보다가 말을 걸었다.

"안 좋은 기억을 잊으려면 그걸 회복하려고 노력하는 것도 중요하긴 한데, 아예 훨씬 더 당황스럽고 엽기적인 일을 직면해서 이전 상처는 생각도 못 하게 하는 것도 방법이래요. 알고 있었어요?"
"그래? 근데 그런 건 갑자기 왜?"

은수는 별 대답 없이 웃었다. 선주는 갸웃거리며 바라보다 겉옷을 벗어 옷걸이에 걸고는 따라 웃었다. 눈매가 반달처럼 휘어졌다. 처음 봤을 때도 느꼈지만, 눈이 정말 예쁘게 생겼다는 생각을 했다. 층을 다르게 낸 중단발 머리와 예쁘장한 눈매가 잘 어울렸다. 은수는 그 모습을 가만히 바라보다가 원래 하려던 이야기를 꺼냈다.

"저기, 내 피 있잖아요."

선주가 고개를 휙 돌렸다. 방금까지만 해도 반달 같던 눈이 동그래져 있었다.

"나한테 집도 내주고 잘해주는 거, 나한테 잘 보여서 피 좀 얻어보려는 마음인 거 다 알거든요? 그러니까 줄게요. 다만!"
"아니, 꼭 그러려고 잘해준 건 아닌데…"

찔린 건지 억울한 건지, 입술을 비죽 내민 표정으로 대꾸하던 선주는 이어질 말을 기다리며 은수를 쳐다보았다. 웃음이 날 뻔한 걸 간신히 참았다. 아니라고 하면서 싫진 않다 이거지.

"당신이 직접 먹는 건 너무 위험하고 믿지도 못하겠으니까, 내가 줄게요."
"뭐? 어떻게?"
"내가 주사기로 직접 뽑아서. 한 달에 한 번. 물론 많이는 못 주고, 그냥 입에 풀칠만 한다 생각해요. 어때요?"
"너 주사기 쓸 줄 알아?"

은수는 고개를 끄덕였다. 은수는 여태까지 매 학기와 방학마다 병원에 실습을 나간 이력이 있는 간호학과 학생이었다. 선주는 말을 듣고는 그럼 간호사복도 있는 거냐며 물었다. 옷을 가져와 보여주었더니 진짜 간호사들이 입는 옷이랑 똑같다며 신기해했다.

솔직히 지금도 그때 무슨 마음으로 피를 주겠다고 한 건지 은수는 잘 모르겠다. 단지 집도 내어주고 잘해준 데에 대한 보답이라기에는, 사실 딱히 고맙지 않았기 때문이다. 애초에 선주가 현관문을 부수는 바람에 이 사달이 났으니까!

은수는 피를 한 달에 한 번 주는 조건을 걸어서, 선주와 계속 가끔씩 만나고 싶었다. 이 정도는 그냥 해줄 수도 있을 것 같았다. 정말 흡혈귀에게 홀리기라도 한 걸까? 그렇지 않고서는 스스로도 이게 무슨 마음인지 설명하기 어려웠다.

엄마, 내가 정말 미쳤나 봐….

*

"그럼 이번 달부터 주는 거야? 우와, 이런 식으로 피 받는 건 처음인데! 진짜로 헌혈 같다!"

"피가 목적은 아니었다면서 아주 신났네요?"

선주가 입을 헙 다물었다. 은수는 속으로 웃음을 참으면서 오늘의 저녁 메뉴인 카레를 입에 넣었다. 향신료 향이 강한 음식이라서 그런지 선주가 특히나 먹기 힘들어했다. 그릇을 싹싹 비운 다음, 자취방에서 중요한 물건만 챙겨 나온 짐가방을 열었다.

"집에 빈 혈액 팩 같은 거 없어요?"

"없는데…"

"사람을 혈액 팩으로 부를 땐 언제고, 막상 집에 있지도 않네!"

그러자 선주가 다시 장난스럽게 웃으며-내 혈액 팩은 너니까-같은 소리나 해댔다. 하여간 매사가 가볍고 놀릴 생각만 가득했다. 가방에서 진공 포장된 일회용 주사기와 소독용 알콜솜을 꺼낸 은수는 급한 대로 부엌에 가 지퍼 백을 가져왔다.

"지금 하게? 나중에 줘도 되는데…"
"이미 좋아서 실실 웃고 있으면서 되도 않는 소리 말아요."

은수는 익숙하게 혈관을 찾아서 주사기를 찔러 넣었다. 따끔한 통증은 금방 잦아들었다. 늘 남의 팔에 주사를 꽂기만 했었는데 스스로 이러니 기분이 새로웠다. 순식간에 새빨간 피가 주사기로 밀려들어 왔다.

*

"와, 맛집이 따로 없네… 진짜 최고야…"
"한 번만 더 그런 식으로 불렀다간 다신 안 줄 줄 알아요."

선주는 고개를 주억거리며 지퍼 백에 빨대를 꽂고 다시 붉은 액체를 음미했다. 방금까지 내 몸에 있던 피를 남이 마시고 있는 게 기분이 묘했다. 요 근래에 감기약 같은 걸 먹은 적이 있던가 하는 생각을 했다.

빨대에서 한순간도 입을 떼지 않던 선주는 금세 지퍼 백을 비워냈다. 만족스러운 표정으로 식사를 마친 선주는 미소가 걸린 얼굴로 소파에 몸을 기댔다. 그런데 빨대로 피를 빨아먹는 모습이 어쩐지…

"모기 같네…"
"뭐? 방금 뭐라고 했어!"

선주는 언제 미소 지었냐는 듯 금세 씩씩대며 벌떡 일어났다. 은수가 킥킥 웃었다. 선주가 삐진 채 성난 목소리를 내는 게 왜 이리 재밌는지 모를 일이었다.

그런데 평소라면 조금 더 분해하며 툴툴댔을 선주가 웬일인지 금방 조용해졌다. 은수는 웃음을 멈추고 선주를 쳐다보았다. 너무 심했나?

선주는 화나 있지 않았다. 그렇다고 삐진 것도 아닌 것 같고, 은수가 보기에 일부러 진정하고 있는 것 같았다. 기웃거리던 은수는 궁금함을 참지 못하고 물었다.

"왜 그래요?"

"흠, 진지하게 할 말이 있어서. 근데 모기는 진짜 아니야!"

진지하게 할 말이 있다는 말에 은수는 저도 모르게 긴장이 되었다. 왜인지 저런 말을 들으면 꼭 안 좋은 소식을 들을 것 같은 기분이 들기 때문이다. 무슨 이야기일까. 이제 피도 받았겠다, 일주일이 다 되어가니 나가라고 하려는 걸까? 답지 않게 뜸을 들이는 선주를 두고 은수는 별의별 생각이 다 들었다.

하지만 선주가 꺼낸 이야기는 은수의 예상과는 아주 다른 것이었다.

"너희 집 앞으로 소포가 왔어. 근데 네가 직접 열어봐야 할 것 같아서…"

*

내 자취방을 살펴보러 잠시 방문했던 선주가 문 앞에서 발견했다고 한다. 수취인은 나지만 느낌이 묘해서 의심하다 그냥 그대로 가져왔다고 했다.

상자 안에는 여러 자질구레한 물건들, 그리고 눈에 익은 목걸이가 하나가 들어있었다. 오랜만에 보았는데도 단번에 알아보았다. 엄마가 늘 하고 다니던 거였다.

소포의 의문은 그다음 날 아침에 곧장 풀렸다. 이른 아침부터 은수의 휴대폰으로 모르는 번호의 전화가 왔고, 몹시 피곤해 보이는 상대방의 사무적인 목소리는 은수를 단번에 긴장하게 만들었다. 그 사람은 -은수의 엄마가 죽었고, 상속된 금액은 유언에 따라 다른 가족들이 아니라 온전히 은수에게 상속되게 되었으니 어서 와서 관련 수속을 밟고, 고인의 유품들을 챙겨서 배송해 놓았으니 확인하라고 기계적으로 읊어 주었다. 은수는 네, 네 하고 대답하기만 할 뿐 다른 어떤 말도 하지 못했다. 전화가 끊기고 나서도 실감조차 나지 않았다.

상황을 인지하기 시작하자 가장 먼저 든 생각은 생뚱맞게도, 내가 어디 사는지 알고 있었구나 하는 것이었다. 하긴, 부모니까 조금만 사정해도 쉽게 알 수 있었겠지… 순간 그럼에도 왜 찾아와주지 않았냐는 약간의 원망이 들었으나 금방 지워냈다. 어떤 이유로도 탓하거나 미워하고 싶지 않았다. 귓가에서 심장이 쿵쿵 뛰었다.

눈물은 흐르지 않았다. 하지만 어딘가 한구석이 무너져 내리는 것 같았다. 마음이 공허했다. 이윽고 기분이 아주 이상해졌다. 선주가 처음 호박전을 먹었던 그때와 비슷하지만 그것보다 더 우울한 기분이 밀려들었다. 한참 동안 목걸이를 매만지다가 주머니에 넣었다. 그대로 상자를 닫는데 이상한 기분이 좀처럼 정리되지 않았다. 선주는 그런 모습을 지켜보다가 조용히 곁으로 와 앉더니 손을 잡아주었다. 다른 사람들보다 체온이 낮은 손이 유난히 따뜻하게 느껴졌다. 그래, 손은 이렇게 쓸 수도 있는 건데. 아버지는 왜 나를, 엄마를 아프게 하는 데 써야만 했는지. 때를 가리지 않는 원망이 얇아진 마음을 깨고 나왔다. 과거의 잔상에게 다시금 후려갈겨진 뺨이 아프고 우울했다.

그 뒤로 나는 종종 목걸이를 매만지며 멍하니 앉아있게 되었다. 선주는 내 기분이 별로라는 것을 이해한다는 듯 덩달아 조용히 지냈다. 그러다 가끔씩 내게 다가와서 그때처럼 손을 잡아주기도 하고, 어깨를 안아주기도 했다. 그걸 보고 있자면 내심 미안했지만, 그래도 고마운 마음이 훨씬 컸다. 이전처럼 혼자 자취방에 있었더라면 분명 견디기 힘들었을 것이다.

그렇게 동거의 마지막 날이 밝았다.

솔직히 아무하고도 통화하고 싶지 않고, 아무 데도 신경 쓰고 싶지 않았지만 그래도 예약해놓은 수리과정은 제대로 보러 가야만 했다. 큰 목소리와 묘하게 하대하는 말투로 현관문을 순식간에 고쳐 단 수리공은 아가씨가 이런 데 살면 어떡하냐며 기분 나쁜 참견을 하고는 쿵쿵대며 계단을 내려갔다. 현관문이 새로 달리는 모습이 못내 아쉬웠다. 다시 이 집으로 돌아와도 되게 되었다.

짐가방을 챙기고 감사 인사를 전하기 위해 다시 선주의 집을 찾았다. 가는 길을 최대한 느리게 걸었음에도 너무 빠르게 도착해버리고 말았다.

이제 익숙해진 도어 락을 누르고 현관문을 열었다. 훅 음식 냄새가 풍겨왔다. 의아함에 부엌으로 향하니 선주가 무언가 분주하게 만들고 있었다. 가만히 서서 바라보고 있는데 이내 식탁 위로 접시 두 개가 올라왔다. 스파게티랑 호박전.

울컥 눈물이 나올 뻔했다. 얼굴에 힘을 잔뜩 주고 괜히 어울리지도 않는 것끼리 만들었다고 투정을 부렸다. 그러자 선주가 작게 웃었다.

"이번에는 스파게티 면 제대로 다 삶았어. 호박전 기름에도 물 안 넣었어."

대답하면 울 것 같아서 고개만 끄덕인 뒤 조용히 식탁에 앉았다. 입맛은 없었지만 그래도 전부 다 먹어줄 결심으로, 포크로 면을 돌돌 말아 입에 넣었다. 맛은 여전히 별로였지만 왜인지 술술 넘어갔다. 속이 따끈하게 울렁거렸다. 거의 다 먹어갈 때까지 아무 말이 없던 선주가 느지막이 목소리를 냈다.

"은수야, 너 있으니까 처음으로 외롭지 않아서 좋았어."
"돌아가서도 행복해야 해."

앞으로도 계속 만날 거긴 하지만! 선주가 부러 장난스러운 목소리로 말을 끝냈다. 하지만 나는 전혀 웃을 수 없었다. 숨길 생각도 못 하고 그대로 고개를 숙인 채 엉엉 울어버리고 말았다.

다시 돌아간 자취방은 빌어먹게 조용했다. 이 집에 오직 나 하나만 산다는 걸 일러주듯이 공기마저 착 가라앉아 있었다.

도저히 아르바이트를 할 상태가 아니어서 며칠만 쉬겠다 사정하고 방에 대자로 뻗어 누워 있었다. 하지만 가끔 목걸이를 매만지고 다시 방향 잃은 원망이 떠오를 때면, 얇은 벽 바깥으로 술 취한 사람의 고함이 들려올 때면, 쿵쿵대는 발소리가 들릴 때면 그냥 아르바이트라도 가 있을 걸 하는 후회가 들었다. 아버지가 아닌 걸 알아도 언제나 이랬다. 언제쯤 훌훌 털어버릴 수 있을지 모르겠다. 왜 이런 것마저 내가 극복해내야 하는지 억울했다. 가족은 내가 선택한 게 아니었음에도.

그렇게 자다 깨다 후회하고 우울해하는 시간들이 지나갔다.

아르바이트를 재개하는 날이 바로 다음 날까지 다가왔다. 어쩔 수 없이 다시 집을 좀 정리하고 씻고 일상으로 복귀할 준비를 해야만 했다. 왜 인간은 일을 해야 하고, 또 뭔가를 먹어야만 살 수 있을까? 선주처럼 피를 마시고 살았더라면 뭐가 달랐을까…

선주를 생각하자 오랜만에 웃음이 나왔다. 그 엽기적이고 제멋대로인 흡혈귀는 그 이후로 줄곧 이런 식으로 우울함 속 위안이 되어주었다.

엄마가 물려준 돈은, 은수가 당장 아르바이트를 그만둬도 될 만큼 큰돈은 아니었지만 그래도 어느 정도 여유를 만들어 줄 만큼은 되었다. 그래도 은수는 그 돈만큼은 평생 쓰지 않을 생각이었다. 그냥 부적처럼 가지고 있고 싶었다. 간신히 일어나 일할 때 입는 유니폼을 전부 다림질한 은수는 옷을 깔끔하게 접어 머리맡에 놔두었다. 내일 일어나면 바로 입고 나가고… 아침은 그냥 걸러야겠다, 내일도 바쁘겠지….

불을 끄고 누운 은수는 내일 퇴근하고 돌아오는 길도 선주가 지켜보고 있을지를 생각했다. 처음에는 불쾌했던 게 이렇게 기대되는 일이 되다니 알 수 없는 일이다. 글쎄, 흡혈귀한테 홀린 게 분명하다니까… 생각하곤 픽 웃었다. 차가웠던 방바닥이 체온으로 점차 따스해졌다.

그렇게 은수가 점차 잠들어가던 그때였다.

엄청나게 큰 소리에 은수는 화들짝 놀라 깨어 일어났다. 은수가 일어난 걸 알기라도 한 듯 맞추어 다시 한번 큰 소리가 들렸다. 분명 은수의 집 현관문을 두드리는 소리였다. 은수의 심장이 점점 세기를 빨리했다.

현관문으로 다가갈수록 점점 소리가 커졌다. 이제는 거의 문을 부수려는 듯이 몸으로 박치기를 하는 소리가 울려 퍼졌다. 은수는 덜덜 떨리는 손을 맞잡고 잠시 고민했다. 신고해서 경찰이 오는 게 빠를까, 저 사람이 문을 여는 게 빠를까. 식은땀이 흐르는 것이 여실히 느껴졌다.

은수가 계속 문을 열지 않자 밖에서 노한 목소리가 들려왔다. 은수는 숨을 멈추었다. 세상이 멈추는 느낌이었다. 수년 만에 들어도 모를 수가 없었다.

아버지였다.

그 뒤로는 기억이 흐릿하다. 은수는 거의 숨을 몰아쉬듯 하며 덜덜 떨었다. 엄마의 부고를 알리는 전화가 걸려왔을 때 한 생각이 다시 떠올랐다. 그래, *부모니까 자식 사는 주소쯤은 조금만 사정해도 쉽게 알 수 있었겠지!* 머릿속에 다른 쓸모 있는 생각은 불행히도 떠오르지 않았다. 빨리 열라고 고함치는 아버지의 목소리에 아무 생각도 하지 못하고 문을 열었다. 죽어도 열고 싶지 않았는데 손이 자동적으로 움직였다. 대체 내게 왜 이러는 건지 수만 가지 생각이 스쳐 지나갔다. 지긋지긋한 트라우마들이 다시 형체를 갖추고 눈앞에 나타났다. 은수는 아버지에 대한 분노며 두려움이 다시 녹아 용암처럼 터져 나오는 걸 생생히 느꼈다. 눈에서 쉼 없이 따끔한 것이 쏟아져 나왔다. 전부 변함이 없었다. 여전히 술에 취한 아버지는 여전히 소리를 지르고, 여전히 손을 그런 식으로밖에 쓸 줄 몰랐다.

과거와 다른 것이라면 딱 하나였다. 아버지는 은수가 유일한 상속자임을 이미 알고 있었다.

돈을 가지고 한참 동안 고함을 치며 협박해대던 아버지는, 제풀에 지쳐 씩씩대더니 이내 엄마의 유품에 대고 예물로 맞춘 금목걸이라 지금 팔아도 값이 많이 나갈 거라는 말을 했다. 일단 그거라도 빨리 내놓으라고 하면서도 엄마를 욕하고 소리를 질렀다. 엄마의 유품을 앞에 두고, 엄마를 앞에 두고.

후들후들 떨리는 손으로 막아보려고 했지만 손에 힘이 잘 들어가지 않았다. 목걸이는 원래 내 것이 아니었던 것처럼 너무나도 쉽게 내 손을 떠나갔다. 나를 떠나간 작은 금속의 차가움이 계속 아프게 남아 가슴께를 콕콕 찔렀다. 쿵쿵대며 요란스럽게 나가던 그 인간은 다음에는 변호사를 데려올 거니 뭐니, 별소리를 다 떵떵거리며 집을 나섰다.

주저앉아 하염없이 울기만 했다. 몸이 물먹은 솜처럼 무거웠다. 시야가 온통

하얗게 물들어갔다. 머리가 지끈거리며 아팠다. 그대로 바닥에 기울어지는 내 몸을 누군가 뛰어들어와 잡아주었다. 그리고는 귓가에 연신 괜찮다며 속삭여주었다. 흐린 정신 속에서도 누구인지 단번에 알 수 있었다. 이 목소리도 모를 수 없기는 매한가지였으니.

남들보다 낮은 체온이 따스했다. 서러움에 눈물이 그치지 않았다. 그 인간이 내 엄마의 목걸이를 가져갔어요, 말하고 싶었지만 뻐끔거리며 목걸이, 밖에 말하지 못했다. 그대로 눈을 감고 정신을 잃었다.

*

눈두덩을 세게 비비며 슬쩍 눈을 떴다. 햇살에 아직 적응하지 못한 눈이 심하게 아려왔다. 부었는지 다 뜨기도 어려웠다. 은수는 어쩐지 데자뷰를 느끼며 침대 헤드에 기대어 앉았다. 이러다 조금 있으면 일어났냐고 물으면서 다시 또 식칼을 든 흡혈귀가 다가올 것 같았다.

은수는 간밤의 일을 생각했다. 가라앉아 있던 기억이 떠오르고, 다시 심장이 욱신거리는 것 같았다. 지금은 아침이니 아마 그러고 나서 밤새 쓰러져 있었던 모양이었다. 바로 옆에 휴대폰이 놓여 있어 전원을 켜보니 일하는 곳에서 잔뜩 연락이 와 있었다. 전원 버튼을 길게 눌러 아예 꺼버렸다. 이젠 나도 모르겠다….

주위를 둘러보니 제 자취방이 아니라 지난 한 주간 머물렀던 곳이었다. 하지만 집 안에 은수 외에 다른 기척은 느껴지지 않았다. 또 은수만 홀로 남겨두고 어디 나간 모양이었다.

부스스하게 일어나 부엌으로 나온 은수는 꼭 첫 만남 때 같은 죽그릇을 마주하고는 피식 웃었다. 그러고 보니 죽 만드는 법은 가르쳐준 적이 없으니 이번에도 맛이 똑같을 터였다. 여전히 맛이 없는 죽을 하나도 남기지 않고 전부 먹었다.

다시 아버지에게 가 목걸이를 찾아오고 싶지만, 정말로 그럴 생각은 없었다. 은수는 아직 아버지를 다시 마주하는 것만으로도 너무나 괴로웠다. 어젯밤처럼. 기껏 가라앉은 얼굴에 다시 뜨끈한 눈물이 주룩주룩 흘러내렸다. 은수는 자신이, 엄마가 너무나도 가엽고 불쌍했다. 그 인간은 우리에게 이렇게 상처를 주고도 멀쩡히 살아가고 있다는 것이 원통하고 분했다. 그는 재판을 받지 않았을 뿐 명백한 범죄자였다. 은수는 진심으로 사형시키고 싶었다. 그 범죄자를, 은수의 마음속에서도, 실제로도.

울던 은수는 다시 모로 누웠다. 스스로의 무력감에 잠겨서 좀처럼 헤어 나올 수가 없었던 탓이다. 지금 은수가 취할 수 있는 최대한의 저항은 현실에서 회피하는 것이었으므로, 은수는 별로 졸리지 않았음에도 착실히 눈을 감았다. 누구보다 최선을 다해 살았는데도 왜 잘 풀리는 게 하나 없는지 침통해하면서, 다시 눈을 뜨면 갑자기 모든 것이 다 해결되어있으면 좋겠다고 생각하면서.

*

은수는 어느덧 익숙해진 발걸음 소리에 일어났다. 느릿하게 걸어 다니는 검은색 통굽 구두가 시야에 들어왔다. 하여간 집 안에서 신발 신지 말라고 했는데도 말을 끈질기게 안 들었다. 이런 사람은 딱 한 명뿐이지. 은수는 입꼬리를 끌어올려 씨익 웃었다. 이러다 좀 있으면 내가 깨어난 걸 알아채고 방으로 들어오겠지. 은수가 그렇게 생각하자마자 선주가 부리나케 방으로 뛰듯이 들어왔다. 내가 깨어나면 무슨 신호라도 들리나? 은수는 그럴싸한 의심이 들었다.

"일어났어!"
"어디 다녀왔어요?"

거의 동시에 나온 말에 둘 모두 조용히 눈을 깜빡거리다 웃었다. 먼저 대답한 건 선주였다.

"병원 다녀왔어."
"병원? 어디 아파요?"

순간 심장이 쿵 떨어졌다. 하지만 멀쩡해 보이는 선주의 얼굴을 보고 이내 긴장이 가셨다. 아니, 그런데 보통 사람이 먹는 약을 흡혈귀가 먹어도 되나?

"아니, 내가 아픈 건 아니고…."

선주는 말을 얼버무리며 씨익 한쪽 입꼬리만 올려 웃었다. 그 미소가 몹시 수상해 보여서, 혹시 병원까지 가서 누구 피를 빨고 온 건 아니죠, 하는 물음이 목 끝까지 차올랐다.
그 상태로 잠시 말없이 선주의 등 뒤를 째려보고 있었더니, 선주가 입을 부루퉁하게 내밀고 왜 나한테 그러냐는 둥 삐진 소리를 했다. 이내 다리를 툭툭 털고 일어나 부엌으로 간 선주는 무언가 빽빽 누르더니, 조금 기다리고, 그리고 그릇에 뭔가 담아 쟁반에 받쳐왔다. 뭔가 해서 들여다보니 죽이었다. 그런데 이번에는 제법 멀쩡하게 생긴.

"나 아까 죽 다 먹었어요."

"그건 봤는데, 아무래도 맛없을 것 같아서, 나간 김에 인스턴트로 사 왔어. 소화도 금방 되는 거 한 그릇 더 먹어. 많이 먹어둬서 나쁠 것 없잖아? 다음에 죽 만드는 것도 알려줘."

은수는 쉬이 그러마 대답하며 잠자코 숟가락을 들었다. 양도 별로 많지 않았고 넘기기가 쉬웠기에 그릇은 금방 싹싹 비워졌다. 선주는 먹는 내내 침대 모서리에 걸터앉아 그 모습을 지켜보고 있었다. 이러고 있으니 마치 정말 처음 만난 날 같았다. 그땐 진짜 무서웠는데. 선주도 같은 생각을 했는지 은수를 마주보고 킥킥거렸다.

"너 그때 얼마나 웃겼는지 알아? 딱 봐도 나 무서워하는 사람처럼 고개 숙이고 죽만 퍼먹는데 세상에 이마에 식은땀이."

"아, 당신 때문에 그랬잖아요! 뭐가 웃기데!"

투닥거리던 은수와 선주는 이내 서로의 얼굴을 보고 웃음이 터졌다. 간질간질거리는 느낌이 물먹은 종이 같던 은수의 기분을 풀어주었다. 내심 선주도 같은 느낌이기를 바랐다. 은수는 미소지은 채로 힐끗힐끗 눈치를 살폈다. 그러자 선주가 덩달아 눈을 데구르르 굴리더니 주머니에 손을 넣고 무언가 뒤적였다.

"아, 줄 거 있어."

"이번엔 또 뭐요? 이번에는 아버지 유품인가?"

"음. 그런가?"

농담으로 한 말이었는데, 뭐라고? 은수는 귀를 의심해야만 했다. 장난이겠지? 하지만 선주가 아무리 가벼워 보이는 사람이어도 저런 걸로 농담하는 사람, 아니

흡혈귀던가? 은수가 긴가민가하는 사이 선주가 주머니에서 무언가 잘그락거리는 물건을 꺼냈다. 이미 해가 다 진 뒤여서 무엇인지 파악하는 데 시간이 좀 걸렸으나, 이내 명확하게 알아차렸다. 은수가 깜짝 놀라 물었다.

"이걸 당신이 어떻게 갖고 있어요?"

선주는 토끼같이 동그래진 은수의 눈을 보고는 잘난 체하는 미소를 지으며 다 방법이 있다고 큰소리쳤다. 은수는 물건을 건네받고는 눈을 껌뻑거리며 이게 무슨 일인지 파악하려 애쓰다가 이내 관뒀다. 상식선에서 생각해봐야 머리만 아플 것 같고… 대충 알 것 같기도 했다. 은수는 군이 캐묻지 않고 그냥 눈앞의 흡혈귀에게 고마운 마음에만 집중하기로 했다. 고맙다니! 자신도 이 흡혈귀처럼 도덕관념이 이상해진 게 분명했다. 은수의 손안에서 반짝거리는 목걸이가 제 주인을 만난 듯 자르르 광택이 흘렀다. 잘그락거리는 소리가 듣기 좋았다.

*

그 날, 다급하게 은수의 집에 뛰어들어온 선주는 대강 상황을 파악할 수 있었다. 조용해야 할 집에서 무언가 고함 소리가 들릴 때부터 짐작하긴 했지만, 은수를 그 짧은 시간에 아주 못살게 굴고 훌쩍 떠난 게 분명했다. 좀 더 빨리 왔어야 하는 건데. 선주가 쓰러진 은수를 안아 들고 으득 이를 갈았다. 힘없이 안긴 몸이 창백하게 축 늘어져 있었다. 그 모습에 덜컥 겁이 나다가도, 이내 분노로 바뀌어 순식간에 화가 머리끝까지 차올랐다.

그렇게 난장판이 된 곳에 혼자 재워두고 싶지 않아서 은수를 다시 제집으로 데려왔다. 여전히 힘이 없이 눈을 감고 있는 은수를 차분하게 침대에 눕히고 이불을 덮어준 뒤 천천히 머리를 굴렸다. 아직 멀리 못 갔을 것 같긴 한데, 혹시나 차를 타고 간다던가 외지로 뜬다면 잡기가 상당히 곤란했다. 더 지체하면 안 된다는 생각에 선주는 겉옷도 잊고 서둘러 밖을 나섰다. 제법 서늘한 공기가 빠르게 선주를 스쳤지만 화를 식히는 데에는 전혀 도움이 되지 않았다.

다행인 점이 있다면, 쓰레기는 한 가지 쓰레기 짓만 하지 않는다는 점이었다.

초조했던 것과 달리 선주는 의외로 금방 은수의 아버지를 찾아낼 수 있었다. 집 근처 골목을 지나 도로변으로 나가자마자 은수의 아버지로 추정되는 것을 필두로 여러 사람들이 웅성대고 있었다. 마음 같아서는 바로 물어뜯어 거의 죽게 만들고 싶었으나 그러지 못했다. 첫째는 너무 많은 사람들과 경찰들이 있었기 때문이요, 둘째는 선주가 군이 그러지 않아도 저 인간이 곧 죽을 것 같은 상태였기 때문이다. 은수의 아버지는 앞 범퍼가 잔뜩 구겨진 차 안에서 피를 잔뜩 흘리며 기절해있었다. 아찔하게 퍼지는 피 냄새에 눈이 확 돌 것 같아서 급하게 코를 부여잡았다.

은수의 아버지는 이미 올 때부터 술에 잔뜩 취해있던 모양이다. 그 상태로 차를 끌고 와서, 은수에게 난리를 치고, 다시 차를 운전해 돌아가려다 전봇대에 들이박아 음주운전 사고를 낸 것이다. 이내 구급차가 와서는 은수의 아버지를 실어갔다. 그냥 죽게 냅두지.

선주는 구급차를 따라 도착한 병원 근처의 건물 옥상에 올라가 아래쪽을 지켜보았다. 은수의 아버지를 실은 들것이 병원 안으로 들어가는 모습을 향해 가운뎃손가락을 들어 축복했다. 옥상이라 더 거칠게 부는 바람이 선주의 머리칼을 이리저리 휘날렸다. 선주는 그대로 서서 생각에 잠겼다. 그래도 은수의 아버지라고, 죽이지는 않고 대신 죽을 만큼 괴롭게 하려던 것뿐이었는데 생각이 바뀌었다. 은수가 창백한 얼굴로 가없게 입을 달싹대던 모습이 자꾸만 떠올랐다.

'목걸이.'

아마 선주가 전해 준 소포 안에 있던 그 유품 목걸이를 말하는 것이었을 터였다. 그대로 까무룩 기절해버린 은수에게 더 정확한 이야기를 들을 수는 없었으나 선주는 대강 짐작이 되었다. 안 그래도 목걸이가 꽤 값이 나가 보인다 했는데, 그걸 빼앗아갔다 이거지. 주먹 쥔 손에 힘이 들어갔다. 은수의 핏기 없이 창백한 얼굴이 뇌리에 콕 박혀서 자꾸만 심장을 철렁하게 만들었다. 감히 애를 그렇게 만들어놔!

은수를 창백하게 만들 수 있는 건 나밖에 없다고!

은수가 들으면 기절할 소리지만 선주는 당연히 그렇게 생각했다. 배로 되갚아주마. 선주가 생각하기에 저런 건 살려 둘 가치가 없었다. 재판받지 않았을 뿐 명백하게 범죄자였다.

이를 앙다물고 옥상에서 내려가며, 선주는 이전에 은수가 보여줬던 간호사복을 어디에 개어뒀는지 되짚어냈다.

*

급하게 응급 수술을 마친 은수의 아버지는 아침에 가까운 새벽이 되어서야 정신을 차렸다. 급히 달려온 의사와 간호사에게 무슨 힘이 남았는지 잔뜩 성질을 부려놓고는 이내 다시 코를 골며 곯아떨어졌다. 소식을 듣고 부랴부랴 달려오고 있는 그의 어머니-은수의 할머니-외에는 간병하러 올 사람도 없으므로 작은 병실에는 줄곧 혼자였다. 같은 시각, 멀끔한 간호사복으로 차려입은 여자가 그에는 어울리지 않는 검은 통굽을 신고 병원 복도를 걸었다. 뻔뻔스럽게 차트를 빌려 확인한 병실로 차분하게 나아갔다. 또각거리는 소리가 울려 퍼졌다. 쥐죽은 듯 고요했다. 물어 죽이기 딱 좋은 타이밍이었다.

간호사들이 문제의 병실을 찾은 것은 그로부터 대략 15분쯤 뒤였다. 크게 덜컹대는 소리와, 흐릿하게 들리는 괴성에 다급하게 달려 병실 문을 열었으나 이미 환자는 돌이킬 수 없는 상태였다. 핏기라고는 하나 없는 얼굴로, 목 언저리에 이빨 자국이 선명하게 남은 채로, 마치 중세시대 흡혈귀의 집에 박제되어있을 것만 같은 괴이한 형상이었다. 그 괴이한 모습 덕에 환자 옆에 놓인 가방이 지퍼가 열린 채 헤집어져 있다는 것은 그 아무도 눈치채지 못했다.

달빛이 선명하게 들어오는 창문은 언제 열린 건지 양쪽 모두 활짝 열려있었다. 흰 창문틀에 드문드문 핏자국이 묻어있었다. 난생처음 목격하는 장면에 모두 얼어붙어 한참 동안 고요한 정적만이 흘렀다.

*

"있잖아?"
"네?"

은수가 목걸이를 바라보고 있는 걸 지켜보던 선주가 대뜸 말을 꺼냈다. 방금까지 의기양양하게 웃던 이가 시선을 피하며 딴청을 피우는 게 무언가 잘못한 게 있는 모양이었다.

"뭔데요, 빨리 말해요."

"네 간호사복… 다시 사야 할 것 같은데 어떡하지."

선주가 방구석 옷장 안에서 축축하게 젖은 간호사복을 꺼냈다. 간호사복은 빨기라도 했는지 물에 잔뜩 젖어있었고 세제 냄새가 났다. 그리고 옷 중간중간 검붉은색 얼룩의 테두리가 보였다. 시간이 좀 흘렀는지 이미 조금 갈색으로 변하고 있었다. 아마 이걸 지우려고 그냥 빨았다가 제대로 안 지워져서 당황한 모양이다.

"원래 피는, 게다가 이렇게 많이 묻어서 군은 건 그냥 세탁기로 돌리기만 하면 잘 안 지워져서 따로 박박 지우고 빨아야 해요."
"아 그런 거야? 지울 수 있어?"
"네. 근데 이건 그냥 새로 사는 게 나을 것 같기도 하고…"

지워지고 말고가 문제가 아니라 간호사로서 묘하게 찝찝했다. 누가 봐도 명백하게 환자를 죽인 흔적을 달고 있는 간호사복이라. 은수는 일단 그대로 버릴 수도 없다는 생각에(버리는 과정에서 이 옷을 목격하는 모든 이들에게 의심받을 것 같았다) 물에 흰 가루를 풀어 넣고 거기에 옷을 담가두었다. 은수가 하는 양을 지켜보던 선주가 그러면 얼룩이 빠지냐며 신기해했다.

"아니, 이거 지우려고 난생처음 빨래방까지 갔는데 안 지워지잖아! 나 얼마나 당황했는데. 이렇게 해야 하는 거였구나."
"이걸 들고 빨래방에 갔다구요?"

은수는 머리가 아파오는 느낌이었다. 우리, 이미 이 동네 사람들에게 의심받고 있는 건 아닐까….

"걱정 마. 엄청 이른 시간이라 아무도 없었어."

"그럼 다행이구요….'

경찰차 소리가 들려오는 듯한 환청이 일었지만 그냥 무시했다. 하기야 의심받는 대도 상관없었다. 설령 그런다고 해서 은수가 이 흡혈귀와 연을 끊을 생각은 없었으니까. 은수는 대충 손을 헹구고 식탁 옆에 앉아 목걸이를 만지작거리며 이제 뭘 해야 하는지 생각했다. 아까 꺼둔 휴대폰 전원이 생각났지만 아직 다시 켜고 싶지는 않았다. 학교 근처에 간호사복을 맞춰주는 곳이 있었던가.

"근데 은수야."

은수가 화난 건지 아닌 건지 눈치를 살피던 선주가 슬며시 웃으며 바짝 붙어 앉았다. 은근히 손가락을 건드리다가 확 손을 잡아 와서 은수는 얼굴이 화끈거렸다. 괜히 어깨에 힘이 들어가고 눈을 맞추기 어려웠다. 굳이 왜 이렇게 바싹 붙어서 이야기를 하나 싶었지만 피하고 싶지는 않았다.

"듣고 짜증내지 마. 알았지?"

은수는 그대로 고개를 끄덕였다. 슬쩍 용기 내어 바라본 눈은 여전히 예뻤다. 반달마냥 휘어진 모습이 은수를 홀리고도 남을 만큼 예쁘게 반짝거렸다. 이윽고 선주는 아주 비밀스러운 이야기라도 하는 듯 은수에 귀에 손을 대었다. 귓가에 숨결이 닿자 은수는 저도 모르게 조금 움츠러들었다.

"평소에 맛있는 거만 먹다가 그런 쓰레기 같은 걸 마시니까 확실히 별로더라. 네가 내 입맛 잔뜩 높여놨으니 알아서 책임져."

249

은수는 이게 무슨 뜻인지 곧장 이해하지 못했다가 이윽고 헛웃음을 터트렸다. '쓰레기 같은 것'이 무엇을 두고 말하는 건지는 은수의 짐작이긴 했지만, 아마 맞을 것이었다. 그런 인간의 피를 마셨으니 당연히 맛없겠지. 은수는 그딴 썩어빠진 피를 빨고 온 선주가 가엾기까지 했다. 스스로가 미쳤다고 확신하는 순간이었다. 그럼에도 기분은 나쁘지 않았다.

은수가 여전히 가까이 앉아있는 선주의 이마에 자신의 이마를 콩 맞대었다. 선주는 장난기가 가득한 눈으로 은수를 마주보았다. 간헐적으로 깜빡이는 긴 속눈썹이 예뻤다.

"이게 뭐라고 이렇게 비밀스럽게 얘기해요?"
"중요한 이야기잖아! 책임져. 알았지?"
"그럼 우리 같이 살아요."

은수는 반쯤 충동적으로 말을 내뱉었다. 선주가 이건 예상하지 못했던 듯 눈썹을 쓱 위로 올리다가 활짝 웃었다. 다시 생각해봐도 후회 없는 제안이었다. 다시 자취방으로 돌아갔을 때부터 이미 알고 있었다. 자신이 선주와 함께 있고 싶어한다는 걸. 정신 나간 생각인 거 알지만, 지금 은수 자신에게만큼은 이게 정답이었다.

"집세는 매달 피로 줄게요. 이 전에 했던 것처럼. 어때요?"
"내 대답은 하나뿐이지. 너도 내가 거절할 거라고는 생각 안 했지?"

은수는 긍정의 의미로 쿡쿡 웃었다. 이제 단기간의 유한 동거가 아닌 진짜 같이 사는 동거인이었다. 동거인, 동거흡혈귀? 말이 너무 이상한데?
은수는 선주를 뭐라 불러야 하는지 고민하다가 그냥 가족이라는 말로 퉁치기로 했다. 가족이라니. 괜스레 거창해 보이고 몽글몽글 기분이 이상했지만, 나쁘지 않은 느낌이었다.

은수는 잔뜩 들떠서 뭐라 뭐라 말하고 있는 선주의 어깨에 슬며시 기댔다. 대꾸해 주고 싶긴 한데 몸이 너무 피곤했다. 선주도 그런 은수를 알아챘는지 이내 잠잠해졌다. 조심히 머리를 쓸어주는 손길이 기분 좋았다. 기분도 시야도 빙글빙글 도는 것만 같은 묘한 느낌이 들었다. 왜인지 모를 용기가 솟아났다.

"저기, 목걸이 찾아다 줘서 고마워요."

은수는 슬쩍 고개를 들고 선주를 쳐다보며 말했다. 선주는 쓰다듬어주던 손길을 멈추고 별거 아니라는 듯 웃었다. 그 웃음이 좋았다. 좀 더 가까이 보고 싶어서 슬며시 일어나 다가갔다. 간질간질한 느낌이 온몸으로 퍼졌다. 의자가 덜컹대는 소리가 들렸지만 신경 쓰지 않았다.

선주는 그런 모습을 가만히 보고 있다가, 이윽고 다시 예쁘게 웃고, 슬쩍 눈을 감았다. 연갈색의 눈동자가 쏙 감추어졌다. 기다란 속눈썹이 가만히 기다리며 덮여 있었다. 이것 봐, 흡혈귀는 사람을 홀려야 해서 아주 예쁘다니까.

코끝에 하얀 숨결이 닿는 것을 느끼며 은수 역시도 눈을 감았다. 긴장했는지 어느새 힘을 주고 있던 은수의 주먹 위에 슬며시 손을 겹치고 힘을 풀게 만든 것은 순식간이었다.

*

"아니 근데 잠깐, 이거 지금 뽀뽀할 분위기 맞는 거지? 나야 그렇다 쳐도 너는 어떻게 피 뺏기다가 정이 들 수가 있니? 너도 참 별꼴이다."

"아, 진짜! 초 치는 것도 정도가 있지!"

열 번째 : 무지개

무지개

김성아

모두 행복하세요!

무지개

[D-7]
"안타까운 소식이지만, 이유 모를 병이 갈수록 악화하고 있어서 더 이상 할 수 있는 게 없습니다. 마음의 준비를 하셔야 합니다. 앞으로 7일 남으셨습니다. 죄송합니다."
적막한 공간 속 의사의 죄책감이 묻어나는 듯한 떨리는 목소리가 그 안을 가득 메웠다. 그런 의사의 조심스러운 태도와 다르게 나는 덤덤한 태도로 고개를 끄덕거리고 방 안을 나섰다. 그도 그럴 것이 난 이 세상에 더 이상 살아야 할 이유를 찾지 못했기 때문이다. 그저 이유 모를 병에 걸려서 죽음을 앞두고 있을 뿐이다. 삶과 죽음. 지금 나는 그 사이 경계선에 있다. 내 삶은 무엇이었을까. 왜 태어난 것일까. 바라고자 하는 목표나 꿈은 있었을까. 가장 비참한 것은 이에 대한 답을 알 수 없다는 것이다. 왜냐하면 나는 내 삶을 기억하지 못하기 때문이다. 예전에 의사가 그랬다. 사고로 인한 후유증으로 중요한 기억을 잃었다고, 그래서 삶을 돌이켜 보려 해도 한순간도 떠오르지 않는다. 억지로 기억하려 해봐도 까맣게만 떠올라질 뿐이었다. 그래서 내 삶에 관한 후회, 미련, 아쉬움, 그리움 등 감정이 느껴지지 않았다. 이게 원인이 됐던 것인지 동시에 삶에 관한 목표나 의지도 도저히 생기지 않았다. 그저 죽음을 기다리는 것, 그것 말곤 할 수 있는 게 없다. 내 삶은 무색무취한 삶이다.
 병원 밖으로 나와서 집으로 터벅터벅 걸어갔다. 그렇게 하염없이 걸으며 집으로 도착하니 벌써 세상은 땅거미로 뒤덮였다. 그렇게 아무도 없는 집 안으로 들어와 침대에 앉으니 극심한 허무감이 느껴졌다. 벌써 하루가 지났다. 그러나 내가 느낀 허무감은 얼마 남지도 않은 일생

중 하루가 허무하게 지나갔다는 사실에서 비롯된 게 아니었다. 남은 날 동안 삶을 추억하지도 못하고 그렇다고 죽음에 저항할 수도 없이 무의미한 삶을 보내야만 하는 사실에서 느껴지는 감정이었다. 그렇다고 남은 삶 동안 무언가 특별한 것을 바라지는 않는다. 애초에 그럴 의욕도 없을뿐더러, 이 몸으론 더 이상 할 수 있는 것도 없다. 괴로웠다. 바라는 것도 없지만 그렇다고 죽는 날을 허무하게 기다리다가 죽는 건 싫었다. 하지만 그렇다고 살고 싶은 욕망조차 없었다. 그러면 내가 남은 시간 동안 뭘 할 수 있을지 한참을 생각했다. 질문의 답을 수없이 고민해 봐도 찾을 수 없었다. 고민의 시간이 길어질수록 오히려 고통스러웠다. 그렇게 한참을 생각한 뒤 내린 답은 남은 일생을 차라리 실컷 자기로 결정한 것이었다. 잠을 자는 동안엔 아무런 생각이 나지 않아 복잡한 마음을 잠시라도 누를 수 있기 때문이었다. 그렇게 남은 삶 동안 그냥 잠만 자다가 운명을 받들기로 다짐할 무렵, 나도 모르게 잠에 들었다.

[D-6]

한참을 자던 중, 시끌벅적한 소리가 들려왔다. 사람들이 분주히 움직이는 소리, 기계음도 같이 들려왔다. 잠결에 무시하려고 했지만, 그 순간 한 여성이 고통스러운 신음 소리를 내는 게 들렸다. 나는 그 소리에 놀라서 벌떡 일어났다.

눈을 뜨자마자 보이는 것은 낯선 천장이었다. 우선 소리의 출처를 찾기 위해 고개를 돌려봤다. 내 바로 옆에는 흰 가운을 입은 의사와 간호사들이 보였다. 나는 놀랄 수밖에 없었다.

'여긴 응급실인가? 난 분명 우리 집에서 잔 기억밖에 없는데, 왜 병원에 있는 거야?'

도저히 상황 판단을 할 수가 없었다. 나는 옆에 있는 간호사를 불렀다. 하지만, 간호사는 들리지도 않는 듯했다. 어쩌면 옆에 있는 여성의 앓는 소리에 못 들은 걸 수도 있었다고 생각해서 이번엔 확실히 들릴 만큼 큰 소리로 간호사를 불렀다. 하지만 거기 있던 간호사 중 한 명도 나를 쳐다도 보지 않았다. 나는 당황스러운 기분이 들면서도 무시당하는 듯한 느낌에 서서히 화가 나기 시작했다.

'아무리 바빠 보여도, 사람이 말하면 그래도 한 명은 와줘야지, 환자 차별하는 거야?'

순간 욱해서 나는 나랑 가장 가까이 있는 간호사의 팔을 잡으려고 손을 뻗었다. 그러자 내 손은 그 사람 팔을 그대로 통과했다. 나는 너무 놀라서 소리를 질렀다. 하지만 이 공간이 울릴만한 큰 소리에도 불구하고 그 누구도 나를 쳐다보지도 않았다. 나는 순간 소름이 확 끼쳤다. 다시, 간호사의 팔을 잡으려고 했다. 하지만, 마찬가지로 내 손은 간호사 팔을 통과했다. 나는 놀란 몸을 일으켜서 다른 간호사 앞으로 갔다. 그 간호사 역시 내가 앞에 떳떳이 서 있음에도 불구하고 마치 내가 보이지 않는 것처럼 행동하고 있었다. 그 간호사에게 손을 뻗어봤지만, 내 손은 통과했을 뿐이었다. 그리고 이상하게 간호사의 얼굴은 흐리게 보였다. 분명 이목구비는 있지만 뚜렷하게 보이지 않았다. 이는 내 앞의 간호사뿐만 아니라 모든 사람이 그렇게 보였다. 그래서 여기 사람들이 내가 아는 사람들인지 모르는 사람인지조차 분별도 할 수 없었다. 이상한 점은 여기서 끝나지 않았다. 분명 내 앞에 사람들의 입 모양은 쉴 새 없이 움직이고 있지만, 그들이 어떤 대화를 하고 있는지는 하나도 알 수 없었다. 무언가를 말하는 소리는 분명히 들리지만 그게 어떤 말인지는 들리진 않았다. 그제야 나는 이곳이 현실 세계와 다른 곳이란 것을 깨달았다. 놀란 마음을 진정시키고, 나는 이곳을 둘러보기 시작했다.

 의사와 간호사는 한 여성 주변에 몰려 있었다. 그리고 옆에는 그 여성의 남편으로 보이는 사람도 초조하게 그 옆을 지키고 있었다. 그리고 그 여성은 온몸이 땀으로 젖은 채 고통을 호소하며 누워 있었다. 그리고 주변 의료 기구들을 보니 이곳이 단순 응급실이 아니라 수술실임을 알 수 있었고, 더 나아가 산모 수술실임을 확인할 수 있었다. 그때 여성의 몸쪽에서 붉은빛이 보이기 시작했다. 그 붉은 빛은 갈수록 선명해지고 있었고, 그 빛이 선명해질수록 산모의 고통 소리는 커지고 있었다. 처음은 앓는 소리에서 점차 흐느끼는 소리로, 흐느끼는 소리에서 울부짖는 듯한 소리로 선명해지고 있었다. 그럴수록 의료인들은 분주하게 움직였고, 남편으로 보이는 사람 또한 초조하게 있었다.

 여성의 고통이 한계에 다다랐을 때쯤, 이유 모를 붉은색 빛은 뚜렷하게 선명해졌다. 이윽고 여성의 고통 소리는 끊겼고, 땀에 젖은 여성의 표정은 점차 온화해지고 있었다. 그리고 공간을 메우는 우렁찬 울음소리가 들렸다. 생명의 탄생 순간을 알리는 소리였다. 나는 그 아기를 둘러싼 의사와 간호사를 통과해서 아기를 쳐다봤다. 그 아기에겐 붉은색 후광이 비치고 있었다. 과학적으로 설명할 수 없는 현상이었다. 아기는 산모 손에 앉혀지고, 모두가 그 아기의 탄생을 축하하고 있었다. 나는 붉은빛을 띠고 있는 아이를 쳐다보고 있었다.

 눈을 떴다. 익숙한 천장이 보인다. 방금 있었던 일은 전부 꿈인 걸 알았다. 그리고 본래 꿈은 일어나고 얼마 안 가 바로 기억 속에서 잊히지만, 이상하게도 그 꿈의 모든 순간이 선명히 기억에 남았다. 하지만 기억이 날 뿐, 기억에 남을 꿈은 아니었다. 나는 잠에서 깬 뒤, 하루 종일 누워 있었다. 어제 다짐한 자다가 운명을 받아들이는 것, 목표도 없던 내 삶에 새롭게 만든 목표기 때문이다. 이 목표라도 이루기 위해서 나는 일찍 잠에 들었다.

[D-5]

깊은 잠에 빠졌을 무렵 시끌벅적한 소리가 들렸다. 아이들이 뛰어노는 듯한 소리였다. 나는 몽롱한 채로 눈을 떴다. 이번엔 노을이 진 하늘이 보였다. 주위를 둘러보니 모래밭을 중심으로 미끄럼틀, 시소, 그네가 보였다. 요즘처럼 알록달록한 플라스틱으로 된 그런 재질이 아니라, 투박한 철로 만들어진 기구였고, 그 기구 주위로 여러 어린 꼬마들이 뛰어놀고 있었다. 그러던 중 술래잡기를 하는 듯한 아이들이 술래를 피하고자 달렸고, 그중 한 아이가 나한테 빠른 속도로 달려오고 있었다. 부딪히기 직전, 나는 피하려고 했지만, 너무 갑작스러운 상황이라 미처 피하지 못했다. 그때, 달려오던 아이랑 부딪히는 순간, 그 아이는 내 몸을 통과하면서 계속 달리고 있었다. 그 순간, 나는 다시 이곳이 꿈속 공간임을 깨달았다.

나는 주변을 둘러보았다. 아이들은 지칠 새도 없이 계속 뛰어놀고 있었다. 그러던 중 어느 한 아이가 눈에 띄었다. 그 아이는 선명한 주황색의 후광을 띠고 있었다. 얼굴은 희미하게 보이지만, 표정은 누구보다 선명한 채로 해맑게 웃고 있던 아이였다. 다시 나타난 광채에 나는 이끌리듯이 그 아이를 계속 쳐다보고 있었다.

주황색 후광을 내는 아이는 놀이터에 있는 아이들과 놀고 있었다. 그리고 놀이터에 있는 또래들에게 여기저기 말을 건네기도 했다. 뭐라고 하는지는 들리진 않았다. 여기 꼬마들은 근심, 걱정 하나 없어 보였다. 그리고 뛰어놀다 지치면, 주변 친구들과 함께 모여 앉아서 흙으로 모래성을 쌓거나, 주머니에서 주섬주섬 꺼낸 구슬로 놀기도 하고, 각자 집에서 가져온 공기로 손재주를 뽐내기도 하고 있었다. 그러다가 다시 앉아있는 게 지치면 다시 일어나서 뛰어놀기를 반복했다.

낮과 밤 사이를 알리는 연했던 주황색 하늘이 점점 짙어가면서, 반짝이는 황금빛 모래 위에서 뛰놀고 있던 꼬마들의 모습을 보고 있자니 왠지 모를 뭉클한 마음이 일렁이기 시작했다. 아이들의 해맑고 티끌하나 없는 순수한 모습을 보자니 나도 모르게 흐뭇한 표정이 지어졌다. 시간이 지나 삼삼오오 모였던 아이들은 하나씩 집으로 돌아갔고, 주황빛의 후광을 띈 꼬마까지 친구와 함께 집으로 돌아가면서 주황색으로 가득한 텅 빈 놀이터만 남게 되었다. 모두가 떠난 이곳에서 난 아이들의 흔적이 남겨진, 어지럽혀진 놀이터를 보고 있었다.

눈이 떠졌다. 익숙한 천장이었다. 이번 꿈도 마찬가지로 선명하게 기억이 남았다. 의문이 들었다.

'저번 꿈도 그렇고, 이번 꿈도 그렇고, 계속 나타나는 후광은 뭘까? 그리고 왜 꿈의 내용이 기억날까?'

머리가 복잡해졌다. 나는 깊이 생각하지 않기로 했다. 머리를 쓴다고 확실한 답을 찾을 수 있는 것도 아니고, 또 단지 꿈인데 뭘 의미를 부여하는가 싶었다. 나는 한참 동안 눈을 감았다.

[D-4]

깊은 잠에 빠지기 시작했을 무렵, 어디선가 무언가를 굽는 듯한 지글지글한 소리가 들리기 시작했다. 그러곤 몇 초 안 돼서, 멀리서 퍼지는 듯한 기름 냄새가 코를 찔렀다. 기름 소리와 냄새의 조화는 잠을 깨우기에 충분했다. 나는 눈을 뜨고 일어났다. 천장이 보였다. 그 천장은 익숙한 천장은 아녔지만, 그렇다고 낯선 느낌은 들지 않았다. 일어나서 주위를 살피니 어느 방이었다. 그리고 바닥에서 초등학생 정도 돼 보이는 아이가 이불로 온몸을 덮은 채 자고 있었다. 이불에선 노란 색 빛이 새고 있었다. 나는 이불을 슬쩍 들춰보려 했지만, 내 손은 이 불을 잡지 못하고 그대로 통과했다. 그래서 나는 이곳이 마찬가지로 꿈의 공간임을 금세 깨달을 수 있었다. 이윽고 방문이 열렸고, 아이의 할머니로 보이는 듯한 노인이 방으로 들어왔다. 할머니는 자고 있던 아이에게 말을 거는 듯했다. 할머니가 어떤 말을 했는지는 알 순 없지 만 할머니의 말이 끝나니 자고 있던 아이는 일어나서 눈을 비비고 있 었다. 그리고 그 노란색 빛의 정체는 아이가 지닌 노란색 후광임을 알 수 있었다.

막 일어난 노란색 후광을 내는 아이는 거실로 향했다. 나도 뒤따라갔 다. 거실에 가니깐 온 가족이 모인 듯했다. 아이의 부모님, 할아버지, 할머니처럼 보이는 가족들이 다 같이 거실에 모였다. 나는 순간 왠지 모르게 슬픈 느낌이 들었다. 이상했다. 마음이 저렸지만, 그 이유를 도 저히 찾을 수가 없었다. 가족들은 이제 점심 식사를 준비하는 듯했다. 밥상에는 막 부친 노릇노릇한 부침개가 있었고, 노르스름한 전과 계란 말이 등이 실컷 푸짐하게 차려진 모습이었다.

식사를 다 마친 가족들은 옹기종기 모여서 티비를 보고 있었다. 다 같이 모여서 티비에서 하는 예능 프로그램을 보면서 깔깔 웃어댔다. 나도 그들 옆에서 같이 티비를 보기 시작했다. 티비 내용은 요즘과는 잘 맞지 않는 예전의 웃음 코드를 바탕으로 짜인 내용이었다. 그렇게 재밌진 않았다. 하지만, 옆에 온 가족이 모여서 웃고 행복해하는 모습 을 보니, 왠지 모르게 웃음이 났다.

시간이 흐르면서, 하늘은 서서히 노랗게 익어가기 시작했다. 편안하 고 따스한 분위기가 집 안을 맴돌고 있었다. 쉴 새 없이 노란빛을 내 던 아이는 방 안에 들어가서 다시 이불을 덮고 편하게 쉬고 있었고,

가족들은 저녁 식사를 위해 분주하게 준비하고 있었다. 그렇게 다시 아까와 같은 기름 냄새가 솔솔 풍기기 시작했다. 물씬 풍겨오는 햇살처럼 따뜻하고 편안한 느낌이 들었다. 하늘은 그렇게 계속 노랗게 물씬 익어갔다.

 눈을 떴다. 익숙한 천장이었다. 마찬가지로 꿈속 기억이 선명하게 떠올랐다. 일어나면서 허전한 마음이 크게 들었다. 아련한 마음이 가슴을 찌르는 듯했다. 그리고 베개를 보니, 눈물 자국이 있었다. 잘 이해가 되지 않았다. 슬픈 꿈을 꿔서 눈물 자국이 생기는 건 흔한 일이지만 방금 꾼 꿈은 아무리 생각해 봐도 슬픈 꿈이 아니었다. 꿈의 내용을 다시 돌아봐도 그런 느낌은 들지 않았다. 그래서 이 눈물 자국은 무엇인지 고민해보려 했다. 그때 갑자기 근소한 두통이 느껴졌다. 나는 고민을 접고 머리를 비운 채 눈을 감았다. 그러니 두통은 사라졌다. 나는 쓸데없는 생각이나 하니깐 머리가 아픈 거라고 판단하고 계속 눈을 감았다.

[D-3]

한참을 자던 중 시끌벅적한 소리가 들렸다. 눈을 떴다. 푸른 하늘이 보였다. 고개를 들어 앞을 보니 인조 잔디에서 한참 축구 중인 남학생들이 보였다. 그리고 주위에는 수많은 학생과 선생님이 이를 바라보고 있었다. 수많은 인파 속에 있던 나는 복잡하고 혼란스러워서 인파 밖으로 나왔다. 밖을 나가니 안내 현수막이 보였다.

제 37회 광영중 무지개 체육대회
일시: 2014/5/7 09:00 ~ 2014/5/8 17:30

위 현수막을 보니깐 지금이 어떤 상황인지 알 수 있었다. 학생들은 알록달록한 반티를 입고 목 놓아서 자기 반을 응원하고 있었다. 나는 축구 경기를 잘 보기 위해 구령대로 걸어갔다. 구령대에선 앞에 있는 경기를 실시간으로 중계 중인 해설위원 학생들과 음향 장치를 조절하고 있는 방송부 학생이 있었다. 난 구령대에서 학생들의 축구를 구경하기 시작했다. 점수판과 경기 시간을 보니 경기는 후반전 추가시간에 2:2로 매우 치열했다. 선수들은 바싹 긴장한 채로 공을 쫓아다녔다. 그러다 한 학생이 상대팀에게 주도권이 있던 공을 낚아채더니 상대 골대로 뛰어갔다. 설상가상으로 그 학생을 막을만한 수비수도 주변에 없었다. 오로지 그 학생과 골키퍼 간 승부였다. 나는 골키퍼를 쳐다봤다. 골키퍼에는 초록색 후광이 비치고 있었다. 이제껏 공이 상대방 필드에 있어서 골키퍼가 초록색 후광을 내고 있는지 알지 못했고 나는 놀랄 수밖에 없었다. 그 순간 상대방의 공격수가 회심의 공격을 날렸다. 공은 휘어지면서 골대 안으로 파고들 심산이었다. 그때 골키퍼가 몸을 던져 매우 빠른 속도로 날아온 공을 손으로 쳐내서 공의 경로를 바깥으로 보냈다. 이에 심판은 호루라기를 불고, 추가시간 종료를 알렸다. 골키퍼 학생의 반 응원석 학생들은 미친 듯이 환호를 질렀다. 심판은 승부차기를 선언했다.

승부차기 선언에 응원하던 학생들은 극도로 흥분하기 시작했다. 축구에 관심 없어 보이던 학생들까지 승부차기 선언에 덩달아 응원석으로 모이기 시작했다. 이내 몇 분도 안 돼서 거의 전교생이 응원석으로 모이는 듯했다. 선수들은 잠깐의 정비를 마치고 승부차기 전략을 짜고 있었다. 어느 정도 시간이 지난 후에 본격적인 승부차기가 시작되었다.

1반: OOXO

5반: XOX_

치열한 승부가 이어졌다. 이번 승부차기는 1반 입장에선 마지막 수비가 될 수 있는 상황이다. 그리고 골대 안에는 초록빛의 후광을 내는 골키퍼가 공을 바라보고 있었다. 그건 상대편 키커도 마찬가지였다. 가볍게 보고 있던 나까지도 숨이 안 쉬어질 정도로 긴장감이 감돌고 있었다. 일촉즉발의 상황을 앞두고 골키퍼와 키커는 심호흡을 몇 번이고 반복하고 있었다. 마침내 키커가 모든 동작을 멈추고 준비 자세를 취했다. 그러곤 키커는 공 앞으로 서서히 속도를 내며 전속력으로 달려갔다. 키커의 발이 공이랑 닿고 펑 소리가 운동장을 가득 메웠다.

그 순간만큼은 학생들의 응원으로 시끌벅적했던 운동장도 고요해졌다. 공은 매우 빠른 속도로 불규칙한 궤도를 그리며 골대를 향해 날아가고 있었다. 완벽한 슈팅에 눈으로 공을 쫓는 것도 힘들 정도였다. 그 순간 몸을 내던지는 골키퍼가 보였다. 하지만 공은 골키퍼보다 더 높게 떠오른 채로 골대에 닿으려 하고 있었다. 골키퍼는 이미 몸을 내던진 상태라 움직임이 제한된 상태였고 도저히 공은 몸으로 막을 수 있는 높이가 아니었다. 이 광경을 보고 있던 모두가 공격의 승리를 직감했다. 그 순간이었다. 골키퍼는 순식간에 팔을 들어서 골대를 향해 날아오는 공을 손으로 팍 쳐냈다. 모두가 예상치 못한 수비였다. 골키퍼는 공을 쳐 낸 후 땅바닥에 아플 정도로 세게 넘어졌지만, 미소를 띠고 있었다.

곧이어 호루라기 소리가 운동장에 퍼졌으며, 1반이 결승했다는 전광판이 갱신됐다. 모두가 환호하고 기뻐했다. 선수들은 달려가서 골키퍼를 끌어안았다. 초록빛을 내던 골키퍼의 표정은 그 누구보다 행복해 보였다. 골키퍼의 초록빛은 처음보다 더 선명해졌다.

 눈을 떴다. 익숙한 천장이었다. 꿈에서의 여운이 현실에서도 느껴지고 있었다. 이윽고 여운이 가시고 난 뒤, 나는 생각했다.

'오늘 꾼 꿈도 역시.. 아마 내일도 어쩌면..'

[D-2]

미세한 엔진 소리가 들렸다. 그리고 미세한 떨림이 느껴졌다. 나는 눈을 떴다. 주변에는 다섯 명 정도 돼 보이는 학생들이 모여서 자고 있었다. 그중 한 학생은 푸른빛의 후광을 띠고 있었다. 이곳은 좁은 방처럼 되어 있고, 바닥은 나무판자로 되어 있었다. 그리고 벽에 자그마한 창문이 다닥다닥 붙어 있었다. 나는 창문을 바라봤다. 창밖에는 바다와 하늘이 맞붙어서 파란색 외에는 보이지 않았다. 그렇게 이곳이 선박의 호실임을 단번에 깨달을 수 있었다.

 창밖을 보던 중 자고 있던 학생들이 하나, 둘 깨어나기 시작했다. 서서히 모두가 일어났고, 막 일어난 학생들은 잠긴 목소리로 서로 대화하고 있었다. 대화 내용은 들리진 않았지만, 다들 기대에 찬 표정이었다. 그러다 방 안에 있던 푸른색의 후광을 내던 학생이 주위 모두에게 무언가 말했다. 그 말을 들은 학생들은 일제히 일어나더니, 호실에 나서서 밖으로 걸어가고 있었다. 나도 뒤따라갔다.

 그들은 배 안을 나와서 갑판 쪽으로 이동했다. 갑판으로 가니깐 시원한 바람이 모두를 맞이하고 있었고, 주변에는 아무것도 없이 남색 바다와 푸른 하늘뿐이었다. 배가 지나간 자리에는 하얀색 물살이 넘실거렸다. 거기 있던 모두는 넋 놓은 채 그 광경을 바라보고 있었다. 시원한 바람과 아름다운 풍경, 그리고 이윽고 도착할 제주도 여행에 관한 기대. 이 모든 것이 하나로 아울러져 학생들은 흥분을 가라앉히지 못했다. 들뜬 마음에 신난 모두는 왠지 모를 웃음이 얼굴에 감돌고 있었고, 선박을 거닐거나 크게 소리도 질러 보기도 했다. 푸른빛을 내던 학생은 폴라로이드 카메라로 바다 사진을 실컷 찍다가, 주변에 들뜬 친구들을 찍기도 했다. 그러다가 어느 순간 다 같이 모여서 난간 앞에서 바다 풍경을 구경했다.

시원한 바람은 계속해서 불어오고, 친구들은 넋 놓은 채 그 자리에 있었다. 지금 모두는 바다와 하늘이 주는 상쾌한 분위기와 쾌적한 바닷바람에 취해 들뜬 맘을 감출 수 없었다. 그렇게 청록색의 수학여행이 시작되었다. 나 또한 왠지 설레는 듯했다. 이들에게 오늘은 다시 돌아갈 수 없는 청춘의 시절. 푸르렀던 시절일 것이다.

눈을 떴다. 익숙한 천장이었다. 나는 일어나서 뒤척거리던 중 베개에서 왠지 모를 축축한 느낌이 들었다. 고개를 들어 베개를 확인해 보니 눈물 자국이 있었다. 나는 의아함을 감출 수 없었다. 저번에 겪었던 상황이 다시 일어난 것이다. 마찬가지로 꿈의 내용 중에서 슬펐던 순간은 전혀 떠오르지 않았다. 오히려 밝고 쾌활한 느낌의 꿈이었다. 나는 의문이 들었다. 의문이 들자마자 머리가 아팠다. 전에 느꼈던 두통보다 좀 더 아파서 견디기 힘들었다. 그래서 나는 이유 모를 고통을 멈추기 위해 아무 생각도 하지 않기로 하고 눈을 감았다.

[D-1]

눈을 떴다. 눈을 떴는데 주변이 온통 캄캄해서 아무것도 보이지 않았다. 혼란스러웠다. 그러다 서서히 눈이 어둠에 적응하자 주변이 얼추 보이기 시작했다. 주변에는 양복 차림의 사람들이 의자에 앉아있었다. 주변이 보여도 어떤 상황인지 파악하기 어려웠다. 그때, 맨 앞에 단상에서 서 있던 사람이 마이크를 키더니 모두에게 무언가를 전하고 있었다.

 사회자의 말이 끝나자 왼쪽, 오른쪽에서 중년 여성들이 단상 위로 올라갔다. 둘은 서로 꾸벅 인사를 하고, 촛불을 밝혔다. 장소나 복장을 미루어 봤을 때, 결혼식의 순간 같았다. 나는 멍하니 이 모습을 보다가 흠칫 놀라고 말았다. 얼굴은 보이지 않지만 분명 지금 저기 있는 중년 여성의 실루엣이 저번 꿈에서 본 꼬마 어머니의 모습이랑 비슷했기 때문이다. 비슷한 체형인가 의심하고 있던 와중 양가 어머님들은 서로 맞절을 한 뒤 단상에서 내려왔다. 그러고 사회자가 다시 마이크를 잡고 다음 순서를 진행하는 듯했다. 진행자의 말이 끝나자마자 결혼 행진곡이 나오고, 반대쪽에서 문이 열리기 시작했다. 그곳에서 보랏빛의 후광을 가득 내는 한 남자가 천천히 걸어오고 있었다. 박수 소리는 끊기질 않았다. 신랑 입장의 순간이었다. 신랑의 표정은 긴장한 티가 나면서도 행복한 미소를 짓고 있었다. 신랑이 단상 위로 올라간 뒤 사회자는 다음 순서를 말하고 있는 듯했다. 곧이어 신랑이 나온 곳에서 웨딩드레스를 입은 신부가 나타났다. 박수가 쏟아졌다. 신랑은 신부를 하염없이 바라보고 있었다. 신부도 미소를 머금은 채 신랑이 있는 곳으로 걸어가고 있었다. 어느새 둘은 서로 같은 곳에 서 있었다. 둘은 이 세상 그 누구보다 행복해 보였다. 둘에서 하나가 되는 순간이었다. 사회자는 계속 결혼식을 진행하고 있었다. 비록 나한텐 들리진 않았지만, 신랑과 신부는 성혼 선언문을 낭독했으며, 진심을 담은 축가가 이어지고 양가 부모님께 인사한 뒤 얼마 안 가서 폐식까지 순조롭게 진행됐다. 그러곤 하객들과 사진을 찍는 시간이 있었다. 사진작가는 모두를 단상 위로 불렀다. 나는 사진작가 뒤에서 사진 찍는 걸 보고 있었다. 모두가 다 올라오고 사진작가의 신호와 함께 사진이

찍혔다.

나는 찍힌 사진을 봤다. 사진은 선명하게 잘 나왔다. 모든 사람의 얼굴이 뚜렷하게 찍혀 있었다. 사진을 확인하고 있던 나는 순간, 오싹한 기분을 느꼈다. 다시 사진이 아닌 앞에 있는 사람들의 모습을 쳐다봤다. 사람들의 얼굴은 흐릿한 채로 있었다. 다시 사진을 봤다. 사진 속에선 그 흐릿한 얼굴들이 선명하게 나왔다. 나는 놀라서 시선을 계속 번갈아 갔다. 하지만 흐릿한 사람들의 모습, 선명한 사진 속 사람들의 모습은 변하지 않았다. 나는 이 믿기지 않은 상황을 최대한 받아들여 보려고 했다. 억지로 진정한 뒤 사진 속 사람들의 얼굴을 유심히 봤다.

충격, 공포, 놀람, 소름. 사진 속 신랑의 모습은 내 얼굴을 하고 있었다. 내가 결혼한 적이 있었던가? 순간 머리가 아파지기 시작했다. 혹시 잘못 봤나 싶어서 다시 확인해 봐도 신랑의 모습은 분명 내 모습이었다. 나는 옆에 신부의 얼굴도 확인해 봤다. 뚜렷하게 보이는 신부의 얼굴을 보자마자 머리는 더 아파지기 시작했다. 두통의 원인을 찾을 순 없었다. 또 사진에 찍힌 남자 네 명의 모습, 양가 부모님의 모습을 보니깐 통증은 더 심해졌다. 이어지는 고통 끝에서 나는 그만 바닥에 털썩, 쓰러지고 말았다.

[D-day]

눈을 떴다. 익숙한 천장이 보인다. 밖에는 먹구름이 가득 꼈고 미칠 듯한 폭우가 내리고 있었다. 여전히 머리가 깨지는 듯한 기분이 들었다. 도저히 견딜 수 없는 고통이었다. 두 손으로 머리를 쥐어 짜냈다. 그래도 두통은 전혀 가시지 않았다. 꿈속 기억은 마찬가지로 선명했다. 너무 선명해서 사진 속 인물들도 그대로 머릿속에 남아 있었다.

예전에 들은 말이 있었다. 꿈에서 나타나는 사람들은 전부 예전에 본적 있던 사람들이라고, 사람의 뇌는 꿈에서 새로운 얼굴을 만들어내지 못한다고 했었다.

'그렇다면 그 사람들은..'

그때 갑자기 수많은 환청이 들리기 시작했다. 소리의 형태를 알 수 없었다. 동시에 극심한 두통이 찾아왔다. 방금과는 비교도 안 될 정도로 아팠다. 계속해서 의미를 알 수 없는 환청이 들려왔고 견딜 수 없는 두통이 계속됐다. 그러다가 갑자기 정체를 알 수 없는 환청에서 또렷한 말이 들려왔다.

'꽉 잡아!'

그 말이 들리자, 내 모든 고통은 멈췄다. 그리고 눈물이 왈칵 쏟아졌다. 이제 모든 게 다 기억이 났다. 나는 하염없이 흐느낄 수밖에 없었다.

작년이었다. 작년에 나는 모든 게 다 행복했다. 여자친구는 하나밖에 없는 아내가 됐고, 모든 일들이 순조롭게 다 풀리고 있었다. 남들보다 행복한 삶이었다. 하지만 한순간에 내 인생은 고칠 수도 없이 망가지게 되었다. 그 시작은 고등학교 동창회였다. 나는 풋풋한 그 시절을 떠올리며 경쾌한 발걸음으로 약속 장소에 향했었다. 오랜만에 만난 친구랑 이런저런 이야기를 하면서 술을 마셨다. 어른이 되고 나서도 어렸을 때처럼 철부지 같은 친구들이랑 만나서 수다를 떠니 너무 즐거웠고, 술은 끊일 줄 몰랐다. 시간은 훌쩍 늦은 새벽이 되었다. 나는 피곤해서 더 마시자는 친구들의 권유를 만류하고 먼저 택시를 타고 집에 갔었다. 집에 가서 나는 옷도 갈아입지 못한 채 잠이 들었다. 다음날이었다. 나는 약간의 숙취에 불쾌한 느낌이 든 채 잠에서 깼다.

일어나서 나는 휴대폰을 봤다.

'부재중 전화(31)'

이상한 일이었다. 오늘은 주말이라 회사 관련 전화는 아니라고 생각했다. 이 생각과 동시에 나는 왠지 모를 섬뜩함을 느꼈다. 갑자기 불안한 감정이 내 몸을 휘감았다. 무수히 많은 생각이 들었다. '무슨 일이지?', '별일 아닐 거야.', '뭐지?', '장난친 건가.' 등 수많은 생각이 한순간에 머리를 거쳐 갔다. 그리고 마지막으로, '설마'라는 생각으로 전화에 걸었다. 신호음이 계속되자 식은땀이 나기 시작했다. 신호음이 한 번 울릴 때마다 심장이 미친 듯이 뛰었다.

이유는 모르겠지만 이상한 촉이 내 심장을 찌르는 듯했다. 불길함의 연속이었다. 그때 '철컥' 전화가 걸렸다.

"여보세요... 어제... 동창회... 음주 운전... 4명... 장래식... 위치ㄴ."

툭. 나는 말을 다 듣기도 전에 휴대폰을 떨어뜨렸다. 순간 구역질이 치밀어 올랐다. 곧장 화장실에 가서 내 안의 모든 걸 게웠다. 술이 덜 깬 건가 했다. 아직도 꿈을 꾸고 있다는 생각도 해서 떨리는 손으로 뺨도 쳐봤다. 하지만 정신은 또렷했고, 느껴지는 고통은 생생했다. 나는 너덜너덜해진 상태로 다시 방으로 돌아올 수밖에 없었다. 휴대폰에는 문자가 하나 와 있었다.

[합동 장례식 알림]

故 김○○

故 이○○

故 이○○

故 최○○

위치: 서울특별시 ....

나는 머리가 어지러웠다. 분명 어제까지 같이 있던 친구들이 지금은 세상에 없다는 게 도저히 믿을 수가 없었다. 그래서 나는 부정하기로 마음먹었다. 이건 분명히 친구들의 선 넘는 장난이라고 생각했다. 그러나 마음과 다르게 나는 급히 양복을 꺼내 들었다. 이때 아내가 무슨 일이냐고 물었다. 나는 아내한테 친구 장례식에 간다고 말했다. 이 말을 했을 때 나는 순간 다시 구역질이 치밀어 올랐다. 마음속으론 애써 계속 아닐 거라며 중얼거려도, 막상 아내에게 대답하는 순간 친구의 죽음을 은연중에 받아들였다는 사실에 속이 울렁거렸다. 아내도 놀란 기색이 표정에서 여실히 드러났다. 나는 서둘러 택시를 타고 친구 장례식장으로 갔다. 장례식장 안에는 불쾌한 향냄새가 가득했고, 입구부터 통곡하는 소리가 들려왔다. 나는 그제야 결코 인정하기 싫었던 이 현실이 사실로 다가왔음을 느낄 수 있었다.

안에 들어가니 친구의 얼굴이 검은 액자 안에 갇혀 있었다. 액자 속 모습은 어젯밤에 본 것처럼 환한 얼굴이지만, 극도로 차갑게 느껴졌다. 나는 절을 하고 테이블에 앉았다. 이곳은 목청이 찢어질 정도로 큰 통곡 소리로 가득 찼다. 모두가 슬픈 얼굴을 하고 있었다. 그러다 상주가 와서 음식을 대접한 뒤, '술 드시나요?'라고 물어봤다. 술이라는 단어가 내 귀에 들리자마자 나는 심장이 미친 듯이 뛰기 시작했다. 동시에 얼굴이 파랗게 질리고, 입이 파르르 떨렸다. 나는 겨우 상주의 질문에 거절한 뒤, 상주를 돌려보냈다. 나는 어제를 돌이켜봤다. 만약 내가 친구들에게 술을 조금만 권했더라면? 아니면 내가 술을 마시지 않고 대리운전을 해줬다면? 혹은 피곤하다고 집에 가지 말고 차라리 계속 함께 있어서 헤어질 때 같이 택시를 타고 넘어가자고 권유했다면? 술 마시고 운전하지 말라고 집 가기 전에 귀뜸이라도 했었으면?

확실한 건 어떤 선택을 했어도 오늘과 같은 일은 일어나지 않았을 것이다. 생각을 하면 할수록 이 모든 게 다 내 탓인 것 같았다. 나는 분명 어제 그들의 음주 운전을 말릴 수 있는 순간이 있었을 것이다. 술을 많이 마셨을 때, 어느 정도 눈치를 챘어야만 했다. 나는 죄책감에 밥이 넘어가지 않았다.

 주말 내내 뜬눈으로 장례식장에 있다가 무거운 발걸음을 옮기며 겨우 집에 들어왔다. 아내는 내 처지를 보고 걱정했지만, 난 그런 걱정도 위로도 받을 자격이 안 된다. 나는 방에 들어가서 바로 잤다. 차라리 잠이라도 자서 잡생각을 떨치는 게 그나마 견딜 수가 있을 거 같았기 때문이다. 그렇게 근 일주일 동안 피폐한 상태로 있었다. 아내가 대화하려고 해도, 말을 걸어도 나는 괜찮다며 바로 자러 갔다. 일어나 있는 동안은 한참을 멍하니 있다가 눈에 초점이 풀린 채 비척거리며 회사로 출근하기도 했다. 아내는 이렇게 피폐해진 나를 걱정스러운 눈빛으로 바라보고 있었다.

 주말이 되었다. 하루 종일 누워만 있던 나를 안타깝게 본 아내가 나한테 와서 말을 걸었다.

"괜찮아? 기운도 없어 보이고, 괜찮은 거 맞아?"

" … "

"우리 엄마 아빠도 자기 걱정 많이 하더라, 요즘 사위 어떠냐고. 그때마다 난 엄마 아빠한테 괜찮다고 걱정하지 말라고 거짓말해. 그때마다 나도 너무 힘들어. 자기 늘 밝은 사람이었잖아. 당신이 힘든 건 당연히 알지만, 이러고 있는 걸 하늘에 있는 친구들도 원치 않을 거야. 그리고 이럴수록 내 뱃속 아기에게도 안 좋은 영향을 끼칠까 봐 겁나. 그니깐 이젠 기운 차려보자 여보."

" … "

"그래 생각할 시간이 필요할 거 같아. 힘내라고 오늘 맛있는 거라도 많이 해줄게. 그럼 쉬고 있어. 나 장 보러 갈게."

그 말을 하고 아내는 장바구니를 들고 집 밖으로 나갔다. 나는 아내의 말을 듣고 많은 생각이 들었다. 맞다. 아내의 말은 틀린 게 없다. 내가 계속 이렇게 우울하게 지낸다고 해도 달라지는 건 없다. 오히려 내가 우울하게 살수록 내 주변 사람들만 더 힘들어질 뿐이다. 나는 결심했다. 아내를 생각해서라도, 아기를 위해서라도 다시 기운 차려야겠다고. 그렇게 마음을 다시 차분하게 가다듬었다. 한편으로 아내한테 고마운 마음이 들었다. 이런 나까지 사랑해주고 위로해주는 아내를 다시 만날 수 있을까. 고개를 들었다. 나는 한참 동안 많은 생각을 했다. 그리곤 결심했다. 이따가 아내가 오면 정신 차리겠다고 말하겠다고.

한참을 기다렸다. 아내는 오지 않았다. 얼마나 많은 음식을 준비하려고 그러는가 싶었다. 괜스레 아내한테 미안해졌다. 그러다가 전화가 울렸다. 그때 모르는 번호로 전화가 왔다. 나는 전화를 받기 전에 아내가 한 말을 다시 떠올려 봤다. 그리고 아까의 다짐을 생각했다. '기운 차리고, 밝은 목소리로 받자.' 나는 전화를 받았다.

"여보세요?"

..

"예 맞습니다."

..

"예?"

..

"그게 무슨.."

..

" "
..

...

전화가 끊겼다. 나는 뒤통수를 망치에 얻어맞은 듯했다. 아니 차라리 실제로 망치를 맞는 게 더 나을 정도였다. 다리에 힘이 풀려서 털썩 주저앉았고, 도저히 일어설 수 없었다. 하지만 이러고 있으면 안 된다는 걸 너무 잘 알아서 제발 일어나라며 손톱으로 허벅지를 미친 듯이 꼬집었다. 그걸로도 부족해서 근처에 있던 볼펜을 집어 들고 떨리는 다리에 있는 힘껏 찍었다. 다리와 바닥에 피가 묻고 나서야 겨우 일어설 수 있었다. 그리고 황급히 신발을 꺾어 신은 채 밖으로 겨우 나갔다. 나는 마치 미친 사람처럼 도로로 가서 택시를 잡았다. 택시를 타고도 횡설수설한 채로 울먹임을 참고 겨우 목적지를 말할 수 있었다. 택시 기사는 백미러로 나를 쓱 훑더니 말없이 목적지로 향했다. 그러곤 대학병원 응급실로 도착했다. 응급실 앞 의자에 주저앉았다. 간호사가 와서 보호자 되냐고 물었다. 고개를 끄덕였다. 그 뒤로 드문드문 필름이 끊겼다. 끊긴 필름 중 기억나는 건 병원으로 급히 달려오는 장모님과 장인어른의 모습. 그들이 땅바닥에 주저앉아 눈물 흘리는 모습. 상복을 입고 있는 나. 아내의 발인 순간. 그 외에는 한순간도 기억나지 않는다. 아내의 죽음의 이유마저 기억나질 않는다. 사고사라는 것만 기억난다. 억지로 죽음의 원인을 밝힐 기운도 없었다. 내 인생은 왜 이렇게 됐을까.

한동안 나는 아무도 없는 집에서 술만 죽을 듯이 마셨다. 맨정신으론 도저히 견딜 수 없는 고통이었다. 마치 심장에 불을 지피는 듯한 뜨거운 고통만 느껴졌다. 눈물도 더 이상은 나오지 않았다. 눈에는 눈물이 다 말라서 마치 피눈물을 흘리는 듯한 뜨거운 작열감만 느껴졌다. 나는 도무지 스스로 견딜 수 없었다. '만약에'라는 생각은 돌고 돌아 끊임없이 이어지고 있었다.

'만약에 내가 우울한 티를 안 냈으면 아내가 장을 보러 갈 일이 있었을까. 당연히 아내는 죽지 않았겠지, 아니 애초에 내가 동창회 날 친구들을 말렸으면 이런 일은 전혀 없었겠지, 아니 그냥 내가 아내를 애초에 만나지 않았더라면 아내가 죽을 일은 없었을 거야. 이게 다 나 때문이야, 나 때문이야, 나 때문이야, 나 때문이야…..'

몇 주가 지난 지도 모를 만큼 시간이 지났다. 나는 폐인처럼 집 안에 살 뿐이었다. 집 안은 온통 빈 술병만 가득 찼고, 집 안에선 퀴퀴한 쓰레기 냄새가 가득 차 있었다. 그러던 어느 날 이 지경이 된 나를 안타깝게 여긴 가족들이 나를 거두러 왔다. 한동안 본가에서 있자는 말이었다. 정신을 차렸을 땐, 할머니와 할아버지는 내 방을 치우고 있었고, 엄마와 아빠는 내 손을 잡고 가만히 앉아 있었다. 집 청소가 끝난 뒤 엄마와 아빠는 나를 거의 끌다시피 차에 태웠다. 그리고 온 가족은 조용히 본가로 향하고 있었다. 달리는 고속도로 위에서 나는 아무것도 생각할 수 없었다.

그때, 운전 중이던 아빠가 갑자기 '어?'하는 소리와 함께 경적을 울리기 시작했다. 그러곤 아빠는 황급한 목소리로 우리 모두에게 말했다. '꽉 잡아!'

…

…

나는 정신을 차렸다. 주변에는 구급 대원들이 분주히 움직이고 있었다. 나는 들것 위에서 누워있었다. 나는 뼈가 으스러질 거 같은 고통을 겨우 참고 고개를 돌려보았다. 나는 그때 보았다. 내 가족들은 흰 천으로 덮여있었다. 나는 그 뒤로..

드디어 나는 모든 게 기억났다. 예전에 의사가 나한테 갑작스러운 사고로 인해 두뇌에 큰 충격을 받아 기억의 대부분을 잃었다고 그랬었다. 하지만 이제는 모든 기억이 다 돌아왔다. 이 끔찍한 사건이 한 번에 몰아쳐 나는 도저히 맨정신으로 살 수 없었다. 그래서 내 뇌는 차라리 모든 걸 잊고 사는 걸 선택한 모양이다. 근데 이럴 거면 차라리 끝까지 기억하지 못한 채로 살다가 죽어버렸으면 얼마나 좋았을까. 흐느낌은 도저히 멈추지 않았다. 참으로 비루한 인생이다. 행복한 적 하나 없던 삶, 비극의 연속, 죽음의 운명, 하지만 가장 비참한 건 죽기 직전에 이 모든 게 기억났다는 점이다. 결국 나는 죽어도 좋은 기억 하나 없이 비참하게 죽게 될 것이다. 차라리, 꿈속 세상에서 영원히 갇혀 있다가 죽음을 맞이하는 게 더 행복했을 것이다.

꿈속 이야기를 하니깐 왠지 모를 이질감이 느껴졌다. 내가 꾼 꿈은 환상이었을까. 나는 지금껏 꾼 꿈들을 단순 환상으로 치부하기엔 왠지 모를 괴리감이 느껴졌다. 어쩌면, 내 꿈은 환상이 아니라 현실이지 않았을까? 잊어버린 모든 기억의 파편을 주마등처럼 보여준 게 아니었을까? 나는 끔찍한 사건이 있기 전의 기억을 돌이켜봤다. 모든 기억과 꿈속 장면이 일치했었다. 이윽고 꿈속에서 후광을 띤 남자의 정체도 알 수 있었다. 전부 그 시절의 나였다.

근데 이게 다 무슨 의미인가 싶다. 만약 신이 있다면 무슨 의도인지 물어보고 싶다. 현실에서 행복한 시절들이 한순간에 절망으로 바뀌었을 때의 심정을 다시 느껴보라고 일부러 행복한 기억을 다시 떠올리게 한 뒤, 절망스러운 기억을 다시 떠올리게 한 거냐고 묻고 싶었다. 신이 나를 저주하는 듯했다. 내 인생은 그 자체로 비극이다. 차라리 아무것도 하지 않았더라면, 행복하지 않았더라면 불행의 순간은 찾아오지도 않았을 거라는 걸 왜 몰랐을까? 내 인생은 잃을 게 많았다. 그리고 모든 걸 다 잃었다. 차라리 욕심내지 않고 아무것도 얻지 않았더라면 더 좋았을 것이다. 이를 빨리 알았더라면 최소한 내 주변 사람들은 나처럼 비극적인 결말을 맞이하진 않았을 것이다. 외롭고 우울한 감정은 애초에 불행하게 태어난 나 따위가 혼자 느끼면 그만이었다. 고작 나 따위 때문에 사랑하는 모두가 죽은 것이다.

이런 삶은 도저히 견딜 수가 없다. 그냥 누워서 죽음을 기다리는 게 답이라고 생각했다. 죄책감은 끊이지 않았지만, 난 억지로 계속 눈을 감았다. 이대로 잠들고 눈이 영원히 안 떠졌으면 좋겠다고 생각했다.

눈이 떠졌다. 세상은 한 치 앞도 보이지 않는 어둠으로 가득 찼다. 그 무엇도 보이지 않았다. 나는 가만히 주저앉아서 손가락 하나 까딱하지 않았다. 그러다가 기억하기 싫은 순간이 억지로 머릿속으로 들어오면 엎드려 흐느낄 뿐이었다. 한참을 흐느끼고 고개를 들었다. 세상은 빈틈없이 어두웠다. 그렇게 멍하니 있다가 다시 기억이 돌아오면 흐느끼는 걸 반복했다. 지옥이 있다면 이런 곳이지 않을까. 그렇다면 나는 여기 있는 게 마땅하지 않을까. 그렇게 오랜 시간을 여기 있었다. 눈물도 더 이상 나오지 않을 지경까지 됐을 때 갑자기 아무것도 없이 어둡기만 했던 세상이 희미하게 붉어지기 시작했다. 나는 고개를 들었다.

내 눈앞에는 마치 영화관의 스크린처럼 거대한 화면이 있었다. 그리고 그 화면에서 내가 맨 처음 꿈을 꿨을 때 봤던 모습이 그대로 상영되기 시작했다. 나는 멍하니 그 화면을 보고 있었다. 화면은 출산의 순간을 거친 여성이 보였다. 그리고 그 화면에 있는 사람들의 얼굴은 꿈속과는 다르게 선명하게 보였다. 나는 바로 한눈에 알 수 있었다. 엄마와 아빠. 그리고 꿈속에선 들리지 않던 엄마와 아빠의 대화도 뚜렷하게 들렸다.

"여보 고생 많았어. 정말로.. 고생 많았어."

의사가 붉은빛을 내던 아기를 아내 품으로 안겨주었다. 아내는 고통스러운 표정을 짓다가 아기가 품에 안기니 평온하고 행복한 표정으로 말했다.

"우리 아기. 너무 예쁘다."

남편이 말했다.

"우리 앞으로 아기를 위해 살자. 당신도 고생했어. 아기 이름은 뭐로 할까?"

"대홍 어때?"

"대홍? 그게 어떤 의미야?"

"큰 대, 무지개 홍을 써서 큰 무지개처럼 세상을 비추어 이롭게 하라는 뜻이야."

"대홍. 이름 예쁘네."

영상이 멈췄다. 나를 키우느라 늙어버린 엄마와 아빠가 젊었을 땐 저렇게 앳된 모습을 했었는지 몰랐다. 영상에는 내가 알지 못했던 내 탄생의 순간이 담겨 있었다.

나는 태어난 순간 엄마와 아빠의 기대를 받던 사람이었고, 희망이었다. 하지만 결국 나는 엄마 아빠의 기대에 부응하지 못했고, 또 부모님에게 비극을 안겨준 존재였다는 생각에 괴로워졌다. 그리고 이름의 뜻을 들으니 자신이 너무 한심해 보였다. 내가 누군가를 비추어 이롭게 한 적이 있긴 했을까. 오히려 정반대의 삶을 살지 않았던가. 부모님께 죄송한 마음뿐이었다. 그때 화면에 다음 영상이 이어졌다.

화면에선 노을 진 놀이터에서 뛰어놀고 있던 내가 나왔다. 나는 주황빛을 달고 놀이터의 모든 곳을 왔다 갔다 하고 있었다. 놀이터에는 나말고도 열 명 정도 돼 보이는 또래들도 같이 있었다. 어린 시절의 나는 해맑게 놀이터에서 뛰어놀고 있었다.

그렇게 한참을 뛰어놀다가 갑자기 멈춰서 어느 한 곳을 응시하고 있었다. 내 시선은 소심한 성격 탓에 놀이터에서 놀지 못하고 소외된 한 친구에게 가 있었다.

어린 시절의 나는 곧장 그 친구에게 다가가서 말을 걸었다.

"너 왜 거기 있어?"

"어.. 그게.."

"같이 놀래?"

".. 그래도 돼?"

"당연하지 같이 놀자."

나는 그 친구의 손을 잡고 미끄럼틀도 타고, 그네도 밀어주었다. 그 친구는 처음엔 이런 관심이 어색했는지 약간은 부담스러워하다가 어느 순간 얼굴에 해맑은 미소가 감돌았다. 그리고 나는 내 친구한테 가서 말을 걸었다.

"얘들아 너네도 얘랑 같이 놀자."

"누구야?"

"방금 놀이터에서 만난 친구. 같이 놀자."

그렇게 어린 시절의 나는 서로 몰랐던 사이를 이어주며 같이 놀았다. 두 친구끼리 친해졌을 때쯤 나는 다시 놀이터를 돌아다니며 잘 못 노는 또래들, 새로운 무리의 또래들에게 말을 걸어서 같이 놀자고 제안했다. 그러다 어느 순간, 놀이터에 있는 모두가 친해져 있었다. 시간이 지나서 하나둘 집에 들어가고, 놀이터엔 맨 처음 소심했던 친구와 나만 남게 되었다. 나는 그 친구에게 같이 집에 가자고 말했다. 그 친구도 흔쾌히 수락했다. 집에 가면서 둘은 대화를 나눴다.

"오늘 재밌었다. 너는 어디 살아?"

"나 저 앞에 아파트에 살아."

"어 나도 그 근처에 사는데. 그럼 우리 내일도 만나서 놀자."

".. 좋아. 근데 나랑 노는 거 재밌어?"

"응 재밌었어."

"사실 내가 친구를 좀 못 사귀어서, 나도 놀이터에서 놀고 싶었는데, 잘 못 놀았거든. 근데 오늘 너 덕에 친구들도 많이 사귀고 좋았어. 고마워."

위 말을 끝으로 영상은 멈췄다. 오래전 과거라 기억이 희미해서 내가 어떤 의도와 계기로 놀이터에 있던 또래 친구들에게 저렇게 했는진 모르겠지만, 의도가 어쨌든 어린 시절의 나는 밝은 기운을 남들에게 나눠줬던 것 같다. 그렇게 남들에게 도움을 준 시절이 있었다는 걸 알았다. 그러나 어린 시절과 지금의 나랑 비교하면 지금 내 모습은 너무 형편없고 초라하다는 생각도 들었다. 저 때의 나는 미래의 내가 이렇게 될 걸 전혀 몰랐을 것이다. 영상 속에서 웃고 있는 아이의 미소가 마치 비웃음처럼 느껴졌다. 저 시절의 내가 지금의 날 만난다면 한심하게 쳐다볼 것이다. 지금의 나 역시 어린 시절의 나에게서 느껴지는 괴리감에 스스로가 한심했다.

그때 다음 영상이 흘러나왔다.

영상에선 초등학생 모습을 한 내가 티비를 보고 있었다. 온 가족들과 티비를 보고 있었다. 나는 티비의 빛보다 더 밝은 노란 빛을 내고 있었다. 티비엔 예능 프로그램이 방영되고 있었다. 티비 프로그램은 가족 시트콤이었다, 대가족이 모여서 재밌는 상황이 펼쳐지고, 가볍게 투닥거리기도 하지만 끝은 화목한 가족의 내용을 담고 있었다.

그걸 온 가족이 바라보고 있었다. 연출로써 화목한 가족이 아닌 진정으로 화목한 가족 같았다. 티비를 보다가 어린 시절의 나는 방 안으로 들어갔고, 영상은 나머지 가족들의 모습을 비추고 있었다. 엄마가 말했다.

"우리 대홍이 어쩜 저렇게 예쁜지 몰라."

아빠가 말했다.

"갑자기 대홍이 왜?"

"아니 이번 중간고사에서 수학 100점 맞았대."

그 말을 듣던 할머니가 놀라면서 말했다.

"아이고 우리 대홍이 박사 되겠네."

"그니깐요. 누굴 닮아 저리 똑똑한지 몰라."

"나 닮아서 그런 거 같은데?"

거실에는 웃음꽃이 피어났다. 그때의 나는 방 안에 있어서 듣진 못했지만, 거실에선 계속해서 내 이야기가 가득 채워졌다.

"그리고 엊그제 선생님에게 전화 왔는데, 대홍이가 체육에도 소질이 있다고 하더라고요. 달리기가 또래에 비해 월등히 빠르다고. 그래서 초등 육상부로 나갈 의향 없냐고 하던데요?"

"못하는 게 없구먼. 한 번 시켜볼까?"

계속해서 영상에는 내가 없는 동안 나에 대해서 가족들이 대화하고 있는 모습이 나왔다. 부모님 중 한 명이 내 이야기를 하면 가족들은 그걸 행복한 미소를 머금은 채로 귀담아듣고, 끊임없이 내 칭찬을 하는 게 반복되었다. 이윽고 마지막 대화도 내 칭찬으로 영상이 멈췄다. 멈춘 온 가족의 표정은 행복해 보였다. 그 시절의 나는 점수나 체육 기록과 같은 내 성적 등이 우리 가족을 행복하게 만들어 줬다는 건 하나도 모르고 있었다. 또 내가 엄마와 아빠의 기대에 부응해 줬던 때가 있었고, 엄마와 아빠가 이렇게 소박한 것으로 기뻐했다는 것도 몰랐다. 어쩌면 우리 가족은 내 존재 자체만으로도 행복하지 않았을까 하는 생각이 들었다. 그게 맞다면 내가 받은 사랑은 과분한 사랑이었을까 아니면 충분한 사랑이었을까? 내가 그 정도로 칭찬받을 만한 사람이었을까? 난 그저 그 나이에 할 수 있는 당연한 걸 했을 뿐이었다. 나는 스스로를 계속 의심할 수밖에 없었다. 그때 다음 영상이 흘러나왔다.

초록빛의 내가 승부차기하던 상황이었다. 영상은 승부차기의 시작부터 끝까지 계속 이어지고 있었다. 마치 축구 하이라이트 영상을 보는 듯한 느낌이었다. 그렇게 내가 마지막으로 공을 막는 순간이 되었다. 몸을 날려서 성공적으로 공을 막자마자 거기 있던 모두가 날 향해 뛰어왔다. 짜릿한 순간이었다. 나는 순식간에 달려온 친구들에게 둘러싸여 포옹을 받다가 헹가래를 받고 있었다. 공중에 네 번은 뜬 뒤에 친구들은 와서 나한테 한마디씩 했었다.

"와, 진짜 잘했다."

"야, 우리 반 결승이야!"

"너 덕분이다. 진짜, 와."

"야, 우리 팀 다 잘했어. 진짜."

등등 계속해서 나에게, 서로에게 칭찬을 쉴 새 없이 날려댔다. 축구 경기하는 동안에 못 했던 말을 계속 참다가 말하는 듯했다. 나도 뿌듯한 채로 모두의 활약을 말하고 있었다. 서로 모두의 활약을 인정하고 공감하고 있었다. 그때 한 친구가 옆에서 말했다.

"야 그래도, 오늘 MVP는 대홍인 거 알지? 추가시간 골도 막고, 승부차기도 거의 막고, 너 덕분이다. 진짜."

"인정한다. 진짜."

"미쳤어. 그냥."

그러곤 영상이 멈췄다. 무수한 칭찬이 계속 흘러나오자, 나까지 왠지 낯부끄러웠다. 하지만 계속 듣다 보니깐 많은 생각이 들었다. 앞에 나오는 저 내 과거들이 단편적인 한순간만을 보여주는 것일까? 주마등처럼 흘러나오는 내 과거들을 유심히 보자니 사실 그렇게 특별한 순간의 연속만을 보여준 건 아니었다. 평범한 일상의 모습이었다. 의문이 들었다. 영화나 매체에서 묘사되는 주마등은 인생의 특별한 매 순간의 연속을 보여주는 모습이었다. 하지만, 내 눈앞에 있는 것들은 평범한 일상이었다. 어쩌면 내 인생은 특별할 것도 하나 없는 인생이라는 걸 알려주는 게 아닐까?

하지만 돌이켜 생각해보면 영상 속 순간들은 평범한 일상이긴 해도 내가 남들과 사랑을 주고받는 순간이었다. 그렇다면 내 인생에는 남들에게 희망을 품어주며 또 사랑을 받았던 순간이 매일매일 있었던 게 아닐까? 평범한 일상은 다시 말해서 늘 그러한 일이 반복됐다는 것이다. 그러면 내가 본 영상과 같은 하루가 계속해서 반복됐다는 뜻이며 더 나아가 난 늘 부모님에게 행복을 심어주고, 남들의 기대를 충족해주는 존재였다는 소리가 아닐까?

하지만 또다시 생각해보면 이건 그저 내 인생을 포장하는 것뿐이다. 비록 내가 생각한 것들이 모두 사실이라고 해도, 나로 인해 내 친구들, 아내와 아이, 온 가족이 죽음에 휘말린 건 변하지 않는다. 이건 명백한 사실이고, 그 사실은 내가 방금 영상을 보면서 생각한 것을 완전히 덮는다. 그때, 다음 영상이 흘러나왔다.

장소는 푸른 바다 위를 거닐고 있는 선박의 갑판 위였다. 푸른빛을 내던 나는 난간에 기대선 채로 내 친구들 네 명과 대화하고 있었다. 나는 친구들의 얼굴을 보자마자 극심한 죄책감을 느끼기 시작했다. 영상에서 나와 친구들은 바다를 계속해서 보고 있었다. 그때 친구 중 한 명이 입을 먼저 뗐다.

"너넨 나중에 커서 뭐 할 거냐?"

"갑자기? 음, 난 빨리 졸업하고 차 사서 운전하고 싶은데."

"야, 차 사면 우리부터 태워줘라. 약속해."

차 사서 운전하고 싶다고 한 친구는 그날 운전하던 친구였다. 나는 이 대화를 듣기 너무 힘들었다.

"뭐래, 너 빼고 다 태워줄 건데?"

"서운하게 말하네. 음.. 요즘 갑자기 든 생각인데, 우리 나중에 성인 되고, 각자 직장 찾으면 그때도 이렇게 만나서 놀까?"

내가 말했다.

"야 당연하지, 우리 의리를 뭘로 생각하냐?"

"무조건이지. 우린 죽어도 같이 죽어 임마. 우린 장례식도 같이 해. 대홍아, 알겠지?"

"뭔 이상한 소리야. 얼마 살지도 않았으면서 벌써 죽을 생각을 하고 있네. 근데 만약 우리 죽으면 너네 장례식 때 뭐 할 거야? 아니 티비에서 보니깐 외국에서 절친 두 명이 둘 중 한 명이 죽으면 살아있는 사람이 그 사람 장례식에 이상한 분장하고 장례식 가기로 약속했다던데, 그리고 그 약속을 한 사람 중 한 명이 죽으니깐, 그 친구가 진짜로 그런 분장 하고 장례식에 갔다고 뉴스에도 나왔더라. 우리도 뭐, 이렇게 할래?"

나는 웃음기를 가지며 장난삼아서 말했다. 친구가 대답했다.

"음, 근데 막상 너네 죽으면 그렇게 못하고 슬퍼할 거 같은데?"

나는 예상치 못한 진지한 대답에 표정을 찡그리며 말했다.

"아 씨, 뭐 이리 진지해. 슬프긴 어이가 없네."

"그럼 넌 뭐, 우리가 죽으면 안 슬퍼할 자신 있어?"

"에이 당연히 ... 음, 슬프긴 하겠네."

그때 옆에서 듣고 있던 다른 친구가 말했다.

"야 쟨 말만 저렇게 하지, 만약 진짜 여기 중 한 명이라도 죽으면 그냥 뭐, 한 달 동안 펑펑 울면서 맨날 집구석에 찌질하게 박혀 있을 걸?"

나머지 모두가 동의하고 있었다. 나는 어이가 없어서 반박했다.

"내가 그러긴 뭘 그래."

"야 그럼 우리 이렇게 하자. 만약 너네 죽으면 그냥 장례식 동안만 슬퍼하고, 그 뒤로 아무렇지 않게 살기로. 어때? 왜냐면 진짜로 대홍이는 방에 틀어박혀 살 놈이라 그래."

옆에 친구가 대답했다.

"좋다. 이거 진짜 약속하자."

내가 대답했다.

"아 뭔 이상한 소리 하고 있어 진짜. 벌써 죽을 생각이나 하고 말이야. 주제 바꿔. 야 그럼 만약에 우리 결혼하면 어떻게 할래?"

"너 얼굴에 결혼?"

"야, 그건 뭔 소리야."

"너네 결혼하면, 무슨 일 있어도 난 꼭 가지."

"그치, 꼭 가야지."

"그럼. 우리 이것도 약속하자. 나중에 성인 되고 난 뒤에 결혼하면 서로 무슨 일이 있든 타지에서 살고 있든, 어찌 됐든 꼭 결혼식에 참석하는 걸로."

내가 말했다.

"그래 내가 먼저 결혼할 거니깐 너네 꼭 내 결혼식 와라 알겠지?"

"아 대홍이 결혼식은 안 갈래."

"이상한 소리 하지 말고."

"알겠어. 만약에, 정말 만약에라도 너 결혼하면 갈 테니깐 성인 돼서

285

이상한 길에 빠지지 말고 잘 살아라 알겠지?"

그러곤 영상이 종료됐다. 나는 묵묵히 영상을 바라보다가 끝내 눈물을 감출 수 없었다. 말라버린 줄 알았던 눈물이 계속해서 흐르고 있었다. 친구들과 했던 약속도 지키지 못한 내가 바보 같았다. 친구들과 약속이라도 지켰으면 비극은 거기서 끝났을 수도 있었다. 하지만 난 이러지도 저러지도 못했다. 미안한 감정은 멈출 줄 몰랐다. 그때 다음 영상이 나왔다.

내 결혼식의 모습이었다. 보랏빛을 풍기는 나와 아내가 단상 위에 있었다. 그리고 영상에선 우리의 모습을 흐뭇하게 지켜보고 있던 부모님과 할머니, 할아버지가 있었다. 또 그 뒤에선 내 친구들의 모습이 보였다. 나는 내 앞에 보이는 아내가, 가족들이, 친구들이 너무 그리워서 또 미안해서 똑바로 바라볼 수 없었다. 그때 정적을 깨는 사회자의 말이 들렸다.

"지금부터 이 자리에 계신 하객 여러분 앞에서 두 사람의 결혼을 약속하는 혼인 서약서 낭독이 있겠습니다."

나와 내 아내는 서로 긴장돼 보였다. 하지만 이내 서로 손을 잡은 뒤, 혼인 서약서를 보며 낭독하기 시작했다. 우리 둘이 동시에 말했다.

"우리의 사랑이 결실을 보는 지금, 부모님과 친지 하객분들 앞에서 당신에게 약속합니다."

그다음엔 나부터 번갈아 가면서 말했다.

"첫째, 양가 부모님의 사위이자 아들로서 두 부모님의 은혜를 잊지 않고 평생 효도할 것을 약속하겠습니다."

"양가 부모님의 며느리이자 딸로서 두 부모님에게 절대 걱정될 일 없도록 서로를 평생 사랑할 것을 다짐하겠습니다."

부모님의 눈에서 눈물이 글썽거리는 게 보였다. 둘은 이어서 계속 말했다.

"둘째, 나는 아내에게 남편으로서 아내가 힘들 때 언제든 버팀목이 될 수 있도록 헌신하겠습니다."

"나는 남편에게 아내로서 남편이 힘든 순간이 찾아왔을 때 힘이 될 수 있도록 항상 옆에서 기도하겠습니다."

"셋째, 나는 내 인생을 아내와 앞으로 태어날 아기의 행복을 위해서 살겠습니다."

"나는 내 인생을 남편과 앞으로 태어날 아기의 축복을 위해서 살겠습니다."

"넷째, 앞으로 나는 아내가 나로 인해서 걱정할 일 없도록 살고, 아내에게 의심받을 만한 일은 일절 만들지 않겠습니다."

"앞으로 나는 남편이 나로 인해서 걱정할 일 없도록 살고, 남편에게 의심받을 만한 일은 일절 만들지 않겠습니다."

나와 아내가 동시에 말했다.

"이제 평생 우리는 함께 동고동락하며 살 부부가 되었음을 여러분 앞에서 엄숙하게 선언합니다."

우리 둘은 서로를 웃으며 마주 보고 있었다. 그러곤 영상이 끝났다. 나는 영상이 끝나고 한참 동안 고개를 들지 못했다. 아내랑 한 약속을 어겼다는 생각이 내 머리를 지배했다. 평생을 행복하게 해주겠다는 내 말은 허울 좋은 거짓말이었을 뿐이었다. 내 아내와 아기는 왜 죽어야 했을까. 그리고 날 진심으로 축하해주러 온 가족들과 친구들은 왜 내 비극을 함께하게 됐을까. 나는 슬픔에서 죄책감으로, 죄책감은 곧 돌이킬 수 없는 후회로, 후회는 또 스스로에 대한 끝없는 혐오로 가는 일련의 과정을 거쳤다. 그리고 스스로에 대한 혐오는 미칠 듯이 끓어오르다가 서서히 소진되어 무기력해졌을 땐, 다시 슬픔이 반복되었다.

이러한 굴레가 몇 번이고 순환하고 나서야 나는 고개를 들었다.

 내 앞에 보이던 큰 스크린은 사라졌다. 사실 그런 스크린은 애초에 존재하지도 않았을 것이다. 내 죽음을 더 비참하게 만들기 위해서 스스로 만들어낸 허상에 불과할 뿐일 것이다. 그때 내 눈앞에 예상치 못한 사람이 등장했다. 내 친구들이었다.

"이 새낀 왜 여기서 질질 짜고 있냐?"

나는 당황해서 아무 말도 나오지 않았다. 또 다른 친구가 말했다.

"어휴, 이럴 줄 알았다. 야 정신 차려 인마. 우리 그때 약속한 거 잊었냐? 너라도 똑바로 살아야 할 거 아니야?"

옆에서 다른 친구가 거들었다.

"우리가 죽은 게 네 탓도 아닌데 애는 왜 이러고 있는 거야? 야 너 바보냐?"

나는 오랜만에 만난 친구들에게 느낀 감정은 반가움보다 미안한 감정뿐이었다. 나는 울음이 울컥 차오르는 걸 간신히 막고 떨리는 목소리로 겨우 한 마디를 내뱉었다.

"...미안."

"미안하긴 뭘 미안하다는 거야? 너 지금 이러고 있는 걸 미안해해라 좀."

"..."

"그래. 우리 시간 얼마 안 남아서 마지막으로 말하고 갈게. 우리 생각하지 말고, 우리한테 미안해하지도 마. 그리고 너 인생을 살아. 너 아직 여기 올 때 아니야. 그리고 너 성인 돼서 이상한 길로 빠지지 말라고 약속한 것도 있지 않냐? 진짜 미안하면 그 약속이라도 지켜라. 그럼 우린 간다. 잘 살아라."

그리고 친구들은 순식간에 사라졌다. 친구가 남긴 의미심장한 말을 해

석할 여력도 없이 나는 애타게 친구들의 이름을 불러봤다. 하지만 주변에 아무것도 보이지 않았다. 나는 혼란스러웠다. 그때 뒤에서 내 이름을 부르는 소리가 들렸다. 나는 황급히 뒤를 돌아봤다.

뒤에는 온 가족들이 있었다. 엄마, 아빠, 할머니, 할아버지 모두가 있었다. 나는 애타게 보고 싶던 가족들에게 달려가서 품에 안겼다. 엄마가 말했다.

"아이고, 얼굴이 왜 이렇게 야위었니. 뭐 하고 지낸 거야 그동안."

나는 어린애처럼 아무 말도 못 하고 부모님 품에 안겨 울고 있었다. 아빠가 말했다.

"사내새끼가 울기는.. 야, 임마 우리가 널 어떻게 키웠는데 그러고 있어?"

할머니가 옆에서 말했다.

"우리 아가, 네가 여길 어디라고 와? 돌아가 얼른."

평소에도 과묵하시던 할아버지도 내게 말했다.

"돌아가라. 빨리."

나는 슬픔을 감출 수 없었다. 그리고 겨우 울먹임을 참고 온 가족들에게 말했다.

"죄송합니다. 저 때문에, 다들.."

엄마가 화를 내며 말했다.

"뭘 너 때문이야? 어머, 애가 큰일 날 소리를 하네. 대홍아, 너 진짜 엄마 실망하게 할래? 똑똑했던 애가 지금 무슨 바보 같은 소리를 하는 거야? 너 때문에 일어난 일 전혀 아니니깐 빨리 그런 생각부터 버려. 알겠지?"

아빠도 말했다.

"야 이 새끼야. 뭘 죄송하다고 말하고 있어? 너라도 잘 살아야지 우리도 잘 지낼 거 아니냐? 어? 대홍아. 가슴 쫙 펴고, 당당하게 살아. 항상 응원할 테니깐 알겠지? 이젠 우린 갈 테니깐 잘 지내야 한다. 아, 그리고 저기 며느리도 너한테 하고 싶은 말이 참 많다던데, 잘 이야기하고. 이제 갈 테니 잘 지내렴."

아빠가 손가락으로 가리킨 곳엔 내 아내가 있었다. 아내를 쳐다보고, 다시 아빠를 쳐다보니 온 가족들은 사라졌었다. 나는 당황한 채로 엄마 아빠를 외치고 있었다. 그러는 동안 아내가 내 앞으로 다가왔다.

"여보"

오랜만에 들어보는 따스한 목소리, 나는 아무 말도 하지 않은 채 아내를 꼭 껴안았다. 아내는 내게 말했다.

"고생했어."

난 그 한마디에 다시 억눌린 슬픔이 터져 나왔다. 그리고 마치 고해성사를 하듯이 꺼억거리며 아내에게 말을 건넸다.

"정말, 미안해, 내가, 잘해주지도, 못했는데."

아내는 묵묵히 내 등을 토닥여줬다. 나는 아내한테 잘못을 빌었다.

"평생 행복하게 해주겠다고, 약속했으면서, 그러지도 못했어. 미안해, 정말로 너무 보고 싶었어. 이제 평생 너 옆을 지켜줄게."

아내는 가만히 듣더니 그게 무슨 뜻이냐고 물었다. 나는 헐떡이면서 아내에게 말을 전했다.

"의사가 나 이제 죽는대. 그러니깐. 앞으로는 너 옆에 평생 있을게. 그게 이승이 아니어도 좋아. 현실이 아녀도 좋아. 너 옆에만 있을 수 있으면 좋겠어."

그 말을 들은 아내는 내 포옹을 풀고, 내 손을 꽉 잡으며 말했다.

"여보, 잘 들어. 그렇게 같이 있는 건 내가 바라지 않아. 여보는 지금 죽을 때가 아니야. 여보가 걸린 병은 전부 죄책감에서 비롯된 거야.

그게 기억에 나지 않았더라도, 그동안 당신이 꿈속에서든 무의식적으로든 계속 스스로 탓하고 있어서 생겼던 병이야."

"그래도.."

"그리고 당신은 지금 그 죄책감을 다 끊어내고 앞으로 남은 인생을 살아야 해. 그게 내가 진정 바라고 있는 당신의 모습이야. 응? 난 여보가 살았으면 좋겠어."

".."

"우리 결혼할 때 기억나? 당신이 그랬잖아. 아내가 나로 인해서 걱정할 일 없도록 살고, 여보 인생을 아내와 앞으로 태어날 아기의 행복을 위해서 살겠다고 분명 약속했잖아. 기억나지?"

"..응."

"내가 걱정되는 건 지금 당신이 죄책감을 여기서 떨치지 못해서 죽는 거고, 내가 바라는 행복은 여보 스스로가 가진 죄책감을 다 내려놓고 사는 거야."

".."

"난 항상 옆에 있어. 여보가 힘든 순간이 찾아왔을 때 힘이 될 수 있도록 항상 옆에서 기도하겠다고 약속했잖아? 그리고 부모님에게도 효도해야지. 아까 여보 가족 만나서 이야기도 했잖아."

"..그치."

"그러니깐 여보. 마지막으로 약속해줘. 살겠다고."

나는 계속해서 눈물이 흘렀다. 그리고 아내에게 미안한 감정이 들었다. 그리고 다짐했다. 이 약속만큼은 절대로 깨지 않겠노라고, 무조건 지키겠다고. 더 이상 아내를 실망시키지 않겠다고.

"..고마워. 약속할게. 사랑해."

"잘 생각했어, 여보. 앞으로 살면서 힘들고 슬플 때가 많이 오겠지만,

그때마다 항상 내가 옆에서 기도하고 있다고 생각해줘. 여보 덕분에 항상 행복했어. 연애하는 순간부터 지금까지 사랑받는 느낌이 들었어. 여보는 그런 사람이야. 주변 모두에게 사랑을 나눠주는 사람. 그런 사람의 아내였다는 게 행복했어. 고마워 여보. 아니, 대홍아.”

이 말을 끝으로 아내는 사라졌다. 나는 그 자리에서 주저앉아 계속해서 흐느꼈다. 몇 시간이고, 몇 날이고 흐느꼈는지 모르겠다. 하지만, 이제 나는 다시 일어서야 한다. 친구들과의 약속을 위해, 가족들과의 약속을 위해, 그리고 아내와의 약속을 위해서 앞으로 나아가야 한다. 나는 자리에서 일어났다. 내 눈앞엔 황홀한 빛을 내는 하얀색 차원 문이 보였다. 그리고 내 앞에는 차원 문을 이어주는 무지개다리가 있었다. 무지개다리는 선명한 빛깔을 내고 있었다. 나는 한 발짝, 한 발짝 앞으로 걸어가기 시작했다. 그리고 차원 문 앞까지 도달했다. 차원 문은 어두웠던 이곳 전부를 눈부실 정도로 밝게 비추고 있었다. 문 앞에서 나는 내 인생을 돌아보았다. 돌이켜 생각해보면, 내 인생은 무색무취한 삶이 아니었다. 시절마다 뚜렷한 색을 가진 다채로운 인생이었다. 그리고 나를 이렇게 사랑해줄 수 있는 사람들을 만난 건 신이 내려주신 축복이지 않을까. 어쩌면 내 인생은 희극이지 않을까. 나는 한 발짝 더 걸어갔다.

[D+1]

눈을 떴다. 익숙한 천장이었다. 의사의 말 대로라면 내가 죽는 건 거스를 수 없는 운명이었다. 하지만 더 이상 약속을 어길 순 없다. 나는 살아야만 한다. 일어나서 나는 일주일 전 갔던 병원에 다시 가봤다. 내 얼굴을 본 의사는 놀란 기색을 보였다. 그러곤 다시 진료한 뒤 말했다.

"..이런 적은 처음인데.. 병이 완치되었습니다. 몸도 다시 건강해졌고요."

나는 의사한테 꾸벅 인사를 하고 나왔다. 내 인생은 이로써 다시 시작한다. 잃어버린 줄 알았던 삶의 의미가 다시 생겼다. 나를 사랑해준 모두를 위해 최선을 다하여 사는 것. 이젠 그것만을 목표로 한다. 어젯밤 내린 비는 그친 채 푸른색의 하늘에는 아름다운 구름이 듬성듬성 박혀 있었다. 그리고 구름 사이에는 선명한 빛깔의 아름다운 무지개가 있었다.

번외 : 평론

내가 사랑하는 강인한 나약함

내가 사랑하는 강인한 연약함

정시진

문학은 언제 아름다움에 도달하는가, 어떤 문학을 두고 훌륭하다고 말할 수 있는가. 그것은 개인적 차원의 감수성을 자연스럽게 보편적 차원으로 확장하는 경우이다. 그렇기에 문학은 자신이 표현하고자 하는 것을 제대로 '보는' 행위로부터 시작한다.

"*나는 인생의 책임을 유예하고 있는 미결수*" (차솔빈, 미결수 중에서)
"*고독을 느끼기는 했어도 시간을 허투루 보낸 것도 아니란 것을 이제야 안 것이다.*" (각설탕, 이리디센트 롤리 중에서)

시적 화자와 서술자의 시선일지라도 위의 시인과 소설가의 시선은 인생에 있다. 한 순간을 본 것인가, 전체를 훑어 본 것인가. 얼마간의 곱씹음인가도 알 방법이 없지만 독자는 이 과정에서 자신의 인생을 그러쥐고 다시금 보게 된다.

그리고 아마 그 시선들의 근원지인 눈들은 대개 '*많은 세월동안 이따금 변하는 나날을 묵묵히 받아내*'(다라가니, 관찰 중에서) 왔으리라. 그 과정에서 생긴 통찰이 결국 독자를 감응하게 만들었으리라.

시의 경우, 쓰는 사람과 읽는 사람에 따라 그 목적이 다를 것이지만, 필자는 '더 나은' 사람이 되기 위한 노력의 소산으로 시(詩)를 대한다. 평론가 신형철이 말한 것처럼, '윤리학적으로 인식론적으로 겸허하기 위해서'이다.

"*주변에는 나와 같은 사람들 / 모두 고개를 숙입니다 / 다들 그런가 봅니다*" (신재호, 바람과 별 중에서)

위의 시상 속에는 힘이 없다. 조금 더 자세히 말하자면, 타자에게 위해를 가하려는 의도와 위력이 없다. 말로 상대를 느끼려고 하지 않고, 차분하게 자신이 위치한 그곳의 공기를 느껴본다.

물론 혼자만의 무던한 생각이 틀리는 경우도 왕왕 있겠지만, 어떠한 행위 없이 짐짓 그런 생각을 했다고 해서 위 시를 비난할 수는 없다. 오히려 과민할 정도로 예민하여 타인의 몰지각함에, 타성적 인식이나 관습에 상처를 받는 사람들이 시인이다.

"*당신이 혀 밑에 다정하게 숨겨둔 칼날에 / 나는 문득문득 상처 입었다.*" (재원, 덧댄 겨울 중에서)
"*당신은 샛파랑을 바라보다 볕에 눈이 멀어 / 내 땅의 날씨 따윈 모르셔도 됩니다.*" (김유나, 날씨가 마음이라면 중에서)

그래서 필자는 시적인 사람들에게 돌을 던질 수 없다. 본질적으로 필자부터 시적인 인간이 못 됨으로, 정확히 말하자면 그럴 마음조차 들지 않는다.

소설(小說)은 엉덩이가 아니라 발로 쓴다고 했다. 천재성으로 쓰는 것이 아니라 경험의 축적으로 쓰는 것이다. 이를 테면 아래와 같은 경우이다.

"*죽는 날을 허무하게 기다리다가 죽는 건 싫었다. (중략) 그러면 내가 남은 시간 동안 뭘 할 수 있을지 한참을 생각했다.*" (김성아, 무지개 중에서)
"*아버지는 은수의 가장 큰 흉터였다.*" (이민서, 흡혈귀의 사랑법 중에서)

시가 기억해야 할 순간을 포착하기 위해 적확한 단어와 정서를 찾아가는 길이라면, 소설은 삶 속에 든 선험적 인식을 증명해 나가는 발걸음이다. 결국 소설을 쓰는 힘은 숙려와 행동이다. 삶을 미친 듯이 이어가려는 발버둥이다.

개인적으로 소설가들이 시인들보다 더 강하다고 생각한다. 걸음이 느린 탓이다. 보다 강할 수밖에 없고, 걸음이 더 느릴 수밖에 없다. 시어가 은유적, 상징적인데 반해 소설의 언어는 구체적이고 총체적이기 때문이다. 이미지가 아니라 경험을 끌고 오기 때문이다.

"악몽 같은 현실보다 차라리 천국 같은 꿈에서 사는 것이 나았다."
(고고, 고등어 사건 중에서)

그러나 상대적 강함이 절대적 강함이나 장대(長大)함을 의미하지는 않는다. 여전히 글쟁이들은 약하다. 왜냐하면 그들도 사람이기 때문이다. 모든 면이 철로 둘러싸여 있지 않은 사람이기 때문이다. 삶을 사랑할 줄 아는 사람이기 때문이다.

그럼에도 희망적인 것은 그들이 모든 면에서 약하지 않다는 점이다. 시인은 적확한 단어를 끄집어내기 위하여, 소설가는 자신의 세계관을 밀고 나가기 위하여 그들의 형체를 잘 유지할 것이다.

마지막으로, 한 시인은 이렇게 썼더라. "읽는다는 것은 책을 사랑하는 과정" (정인지, 책의 연인 중에서)이라고. 나는 그 말에 화답해주고 싶다. 쓴다는 것은 글을 사랑하고 삶을 사랑하는 과정이라고.

나는 연약하고 강인한 사람 이야기를 좋아한다. 이 책은 그런 책이다.